詳述公共

教科書 公共 703 準拠

演習ノート

実教出版

もくじ

第1編　公共の扉

第2編　よりよい社会の形成に参加する私たち

本書の使い方

❶ このノートは，実教出版の教科書『詳述公共』(公共　703)に準拠しています。
❷ 教科書の１テーマを，２ページで編集しています。
❸ ノートの左ページは，教科書内容の学習ポイントを簡潔にまとめています。一部を空欄にしていますが，そこに入る語句などはすべて教科書に記載されているものです。教科書をよく読んで，書き込んでみましょう。**〔知識・技能〕**
❹ 側注には，各テーマを学習するうえで是非覚えておきたい知識を補足しています。内容理解を深めるために，または空欄に入る語句を考えるときの参考としてください。
❺ 巻末には学習の振り返りを記入する欄を設けました。
❻ 正誤問題 や Work などで知識や概念が身についているか確認してみましょう。**〔知識・技能〕**

※〔　　〕は関連する評価の観点を示しています。

本書の使い方

Check! 資料読解　〔知識・技能〕
・教科書のCheckに対応した図版や統計などを読み取ることで，課題を把握できる設問です。

TRY!　**Opinion**　〔思考力・判断力・表現力〕
・教科書各節の学習内容を受けた問いで考察したり，話し合い活動をするTryやOpinionに対応した設問です。それぞれ，取り組む際のヒントとなる設問もありますので，本文で学んだことを活用して考察し，表現してみましょう。

Exercise　〔思考力・判断力・表現力〕
・公共の扉の考え方を活用して，政治・経済の諸課題について考察する問題です。

Active　〔知識・技能〕〔思考力・判断力・表現力〕
・教科書のActive-資料から課題を考える-に対応したワークシートです。
・☑振り返りチェックで重要事項を確認し，自分の意見やその根拠をまとめたり，他の人の意見や根拠をまとめたりして，考察を深めてみましょう。

章末問題　〔知識・技能〕〔思考力・判断力・表現力〕
・大学入学共通テストの問題や，教科書の資料読解問題です。これまで学んだ知識や概念を活用してチャレンジしてみましょう。

1　生涯における青年期の意義

教科書　p.8～9

▶ライフサイクルと青年期

・人の一生…およそ80年

乳幼児期からはじまり，次第に成長をとげ，老年期に

・〔①　　　　　〕…〔②　　　　　　　〕（人生周期）の過程において，心身ともに急激に変化する時期

→身長が伸び，体重が増え，からだつきが男らしく，女らしくなる

＝〔③　　　　　〕の発現の時期

▶青年期の出現

【青年期の出現】

［近代以前］〔④　　　　　〕に参加して，子どもからおとなに

［近代以降］身分制が崩れて職業選択が自由に

→知識技能を身に付けて社会生活を送るための一定の学習期間が必要に

※おとなになるためには，心理的，社会的成熟も必要な条件に

＝見習い期間としての青年期の誕生

【青年期の意義】

〔⑤　　　　　　　　　　　　〕

…心理学者〔⑥　　　　　〕による

青年がどのような存在となるかに当たって，社会や文化が青年に許容している役割実験の時期（**人生の実験室**）

▶第二の誕生

【第二の誕生】

・青年期における身体の変化→心の変化も引き起こす

自分をより強く意識し，自分にこだわりはじめる＝〔⑦　　　　〕のめざめ

・心身ともに大きく変化する青年期

＝「〔⑧　　　　　〕」…〔⑨　　　　〕による

・〔⑧〕を迎えた青年

…親や社会の価値観に否定的となり，これに反抗する〔⑩　　　　　〕

を経て，親から精神的に自立することをめざす（＝〔⑪　　　　　〕）

成功によって自信を深めることもあれば，失敗や挫折による自信喪失や劣等感も体験

自分を理解してくれない周囲に対して，孤独感を感じる

→自分なりの価値観や**人生観**，**世界観**を作っていく

【マージナルマン】

・異質な集団に同時に所属し，どの集団にも安定した帰属意識をもてないため，行動の仕方が一定しない人

＝〔⑫　　　　　　　〕（〔⑬　　　　　〕，**周辺人**）

…心理学者〔⑭　　　　　〕による

〉〉〉〔③〕
性ホルモンの分泌にともなってあらわれる男女を特徴づける性質（体毛，乳房，声，骨格などにあらわれる）。（→教p.8❶）

〉〉〉〔④〕
誕生・成人・結婚など人生の区切りに，所属集団や社会の慣習に従っておこなわれる儀式（具体的には，宮参り，七五三，成人式，婚礼など）。（→教p.8❷）

〉〉〉〔⑦〕
自分を自分で意識したり，自分と自分以外のものを区別したり，さまざまな自分の要素や体験をひとまとめにして自分を作り上げる（また，自分の気持ちや行動，考えなどをコントロールする）心の働き。（→教p.9❶）

〉〉〉**人生観・世界観**
人生観とは，人間の生き方や生きる目的など，人生についての見方・考え方。
世界観とは自然・社会・人間など，世界全体についての見方・考え方。（→教p.9❷）

正誤問題 次の文が正しい場合には○，誤っている場合には×を〔　〕に記入しなさい。

1. どの集団にも帰属できない青年期の特徴をさして，心理学者のエリクソンは「心理・社会的モラトリアム」と名づけた。〔　　〕
2. 就職後も親と同居し，趣味と自由な生活を楽しむ若者をさしてマージナル・マンと呼ぶ。〔　　〕

Work 次の文中の空欄に当てはまる語句を答えなさい。

フランスの思想家ルソーは，エミールのなかで青年期について，次のように述べている。

> 私たちは，いわば2度この世にうまれる。1回目は存在するために，2回目は生きるために。はじめは〔ア　　　　〕にうまれ，つぎは〔イ　　　　〕にうまれる。…これが私のいう〔ウ　　　　〕である。ここで人間は本当に人生にうまれてきて，人間的な何ものも彼にとって無縁のものではなくなる。

Check! 資料読解 以下の図や教科書を確認しながら，中世からこんにちまでの各時代における青年期の説明として誤っているものを，次の①～④のうちからすべて選びなさい。

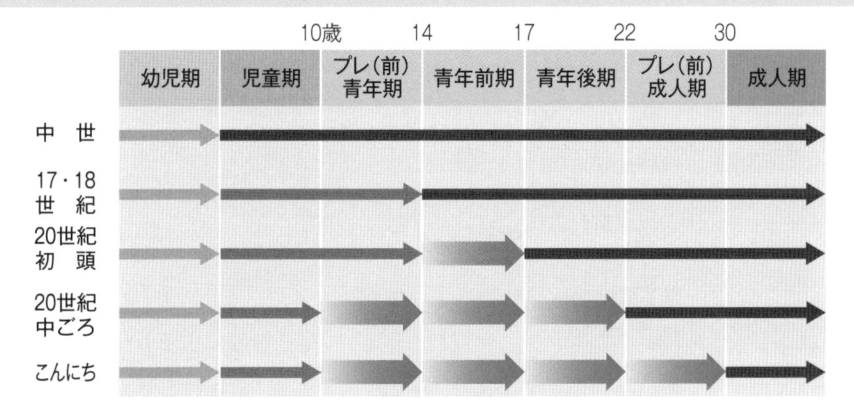

① 青年期は，市民革命や産業革命を経た20世紀初頭に出現したと考えられる。
② 中世において青年期は存在せず，子どもは一足飛びにおとなになっていった。
③ 青年期は中世から認識されており，その期間は時代を経るにつれて短くなっている。
④ 20世紀に入ると，青年期が延長される一方で，児童期は短くなっている。

TRY! ①青年期とは人生においてどのような時期なのか，次の文章の空欄に当てはまる語句を入れ，考えてみよう。

青年期は〔ア　　　　〕の発現の時期であり，子どもからおとなへと変化をとげる。また，身体だけでなく心の変化も引き起こし，自我にめざめる「〔イ　　　　〕」の時期でもある。さらに，近代以降の社会において青年期は，〔ウ　　　　〕という，役割実験をおこなう時期である。子どもとおとなの集団の狭間に置かれた〔エ　　　　〕である青年は，成功や失敗により心理的な動揺を経験しながら，自分なりの価値観や人生観を作っていく。

②自分の人生にとっていまがどのような意味をもっているのか，考えてみよう。

2 青年期と自己形成の課題

教科書　p.10～13

〉〉〉欲求階層説
アメリカの心理学者マズローは，欲求を基本的欲求と成長欲求とに分け，基本的欲求がある程度満たされると高次の欲求があらわれるとした。

〉〉〉〔④〕
接近したいと思う対象(例：大好物のフグとウニ)があり，いずれかを選択しなければならないときに起こる接近—接近の葛藤，どちらも避けたい(例：宿題は嫌だが先生に怒られたくない)とき選択ができない回避—回避の葛藤，接近したい対象(例：大好物のフグ)に避けたい対象(例：フグの毒)が併存する接近—回避の葛藤などに分類される。(→教p.10❷)

〉〉〉〔⑩〕
意識的努力では気づくことができない心の領域。フロイトは心を氷山にたとえ，意識は水面上に浮かぶ部分，無意識は水面下で見ることのできない大部分と説明している。フロイトは本当の自分，本当の認識というものも，心の働きの一部でしかないと主張した。(→教p.11❶)

▶さまざまな欲求

・人間…生きるための〔①　　　　〕を有している
　→個々の〔①〕の充足をはかるなかで，
　　〔①〕間の優先度をめぐっての対立が
　　強くなっていく
・心理学者〔②　　　　　　〕の欲求
　階層説
　人生最高の〔①〕＝〔③　　　　　　　　〕
　※自分の能力を最大限実現しようとする

自己実現の欲求
承認の欲求
所属と愛情の欲求
安全の欲求
生理的欲求

▶欲求不満と適応

・〔④　　　　　　　　　　〕
　…さまざまな欲求間の対立が生じ，その選択が困難になること
・欲求の追求…周囲の状況(社会的・環境的な条件など)からかなわないことも
・〔⑤　　　　〕行動…欲求の充足を求める個人が周囲の環境に適合しようとする行動
・欲求の充足が妨げられると〔⑥　　　　　　　　　　〕の状態に
・攻撃行動，退行などの行動が誘発されるおそれ
　→〔⑦　　　　　　　　〕を高める必要性

▶防衛機制

・〔⑧　　　　　　〕(〔⑨　　　　　　〕による)…日常生活における葛藤や欲求不満に対して，〔⑩　　　　　〕に自己を守るしくみ
　※葛藤や欲求不満を意識的に受け止め，合理的に解決する努力が必要

▶パーソナリティの形成

・〔⑪　　　　　　　　〕…個性，人格
　※遺伝と環境の二つの要因が相互に影響して形成される
・青年期…他者との比較を通して，劣等感にさいなまれる経験
　→自分をかえたいと望み，主体的努力がはじまる

【パーソナリティの類型】
・クレッチマーによる体型と気質
　…細長型，肥満型，闘士型
・ユングによる内向・外向

▶アイデンティティ(自我同一性)の確立

・心理学者〔⑫　　　　　　　〕
　…各発達段階で達成が求められる課題を示した＝〔⑬　　　　　　〕
・青年期の〔⑬〕＝〔⑭　　　　　　　　　　　〕の確立
　※いままで無自覚的に生きてきた自分や，家族や周囲の期待に従っている自分と，自らそうありたいと思っている理想の自分を統合してより一貫した自分を作り上げること

・〔⑭〕の拡散…精神的な危機に陥ること
→自分が直面する危機に真正面から取り組み，克服しようとする努力が必要

▶現代社会と青年

・家庭だけでなく，多くの居場所をもてる青年
→情緒的に安定し，自尊感情(自分に対する肯定感)をもちながら，他人と接することができる
→対話を通じて相互承認を深め，社会における自己のあり方を確立

〉〉〉**社会の多様性と共通性**
人間と社会はそれぞれ独自性や多様性をもつだけでなく，互いに理解し得るような共通性をもつ。
→互いを尊重しあおうとするパーソナリティの形成が求められる。

正誤問題 次の文が正しい場合には○，誤っている場合には×を〔　〕に記入しなさい。

1．進学したいが，早く就職して社会人になりたいとも思う，という葛藤は接近－回避型の葛藤である。〔　　〕

2．周囲から認められなくても，自己主張をはっきりともち，自己を確立することをアイデンティティの確立という。〔　　〕

3．ユングによる外向とは，主たる関心が自分の外にあり，自分の外にある判断基準に基づいて判断，行動する傾向にあることをいう。〔　　〕

Work 次の防衛機制の表の空欄に当てはまる語句を答えなさい。

〔①　　　　〕	欲求不満や不安を無意識に抑え込んで、忘却する
〔②　　　　〕	もっともらしい理由や理屈をつけて正当化する
〔③　　　　〕	抑圧した欲求と反対の行動をとる
〔④　　　　〕	より高い価値の欲求に置き換えて満足する

Check! 資料読解 教科書p.11❷「欲求不満の解消」 葛藤を感じたときの対処の仕方に関する次の記述ア～ウと，防衛機制(防衛反応)の種類(型)の名称A～Eとの組合せとして最も適当なものを，下の①～⑥のうちから選びなさい。

ア　尊敬している部活の先輩の話し方や口癖を真似する。
イ　交際を断られた相手に対し，「あの人には人を見る目がない」と思う。
ウ　満たされない自分の欲求を，小説などの芸術作品で表現する。

A　合理化　　B　同一視　　C　反動形成　　D　代　償　　E　昇　華

①　ア－A　イ－B　ウ－D　②　ア－A　イ－E　ウ－D　③　ア－B　イ－D　ウ－A
④　ア－B　イ－A　ウ－E　⑤　ア－C　イ－D　ウ－E　⑥　ア－C　イ－B　ウ－E

TRY! より望ましい自分とはどのようなものか，また，そのような自己を形成するためには，どのような行動をしたらよいのだろうか，考えてみよう。

3・4 職業生活と社会参加／現代社会と青年の生き方　教科書 p.14〜17

〉〉〉〔②〕
大学や高校に在学している学生・生徒が，一定期間，企業などで実際に働いて就業体験をすること。

〉〉〉〔③〕
内閣府の定義では，15〜34歳(学生と主婦を除く)のうち，パート・アルバイト(派遣社員を含む)で働いている人，および働く意思のある無職の人のこと。(→教p.14❶)

〉〉〉〔④〕(NEET=Not in Education,Employment or Training)
日本では，15〜34歳の未婚者で就業，就学，職業訓練をしていない人のこと。(→教p.14❷)

〉〉〉〔⑥〕
(1)自発性，(2)無償性，(3)連帯性，(4)先駆性を原則とする活動。(→教p.15❶)

▶職業の意義と職業選択

【職業とは】

・働くこと＝生計を立て経済的に自立すること
　→職業を通じて，自分らしさを生かし，見つける
　→自分の能力を発揮し，〔①　　　　　　　〕する
　→社会貢献し，社会的責任を果たしている自覚は，生きがいをもたらす
※職業選択のためには，自分についての理解を深めるとともに，〔②　　　　　　　〕に参加するなどして，職業についての知識を得ておく必要がある

【現代の若者】

・〔③　　　　　　　〕となり定職に就かない者や，自分自身や職業について十分な吟味をしないまま，就職や進路選択をする者も多い
・無職で就労に向けた活動もしていない〔④　　　　　　　〕と呼ばれる者も

▶社会参加とボランティア

・〔⑤　　　　　　　〕…社会に責任をもってかかわっていくこと
　→社会とのかかわりのなかで自己を形成
・〔⑥　　　　　　　〕…自発的に社会や他人に貢献する活動
　→新しい世界に出あい，多くを学ぶことができる
　→社会的な活動を通して人間的な連帯を実感するとき，自己実現と生きがいを見出す

▶伝統文化と和の精神

【日本人の伝統的な価値観】

・〔⑦　　　　〕の精神…〔⑧　　　　　　　〕の「十七条憲法」による
　…集団のなかでの，自他の調和に価値を置く共同体の倫理
　　※上下の人間関係や共同体の〔⑦〕の重視
　→現代に至るまで大きな影響…目に見えない形で，多くの人々の行動や生き方を規定

▶伝統文化と若者文化

・現代の若者…公の場での討論を通じて，共通理解を作り出すことが苦手
　※意見を述べあって，自己主張することが，人間関係を悪化させ，お互いを傷付けるものと考える
　　自分が傷つくことをおそれつつ，なめらかな人間関係を求める
　　＝「優しさ」のあらわれ

▶新しい生き方を求めて

【伝統と対立した福沢諭吉】

・〔⑨　　　　　　　〕…幕末から明治時代の思想家
　欧米諸国を歴訪，近代ヨーロッパの文物・制度・思想を紹介
　個人の〔⑩　　　　　　　〕と合理的な学問の重視
　→自分の主義・主張や意見を述べることの重要性を説く

【現代に求められる生き方】
・現代…日本人一人ひとりが国際社会のなかで生きる，国際化の時代
→公的な場で自己主張をし，対等の立場での討論ができるような態度と能力を身に付けることが大切

Work 次の表は企業がフリーターを正社員として採用するに当たり重視した事項である。この表から読み取れることで正しいものをすべて選びなさい。

年齢層	フリーターを正社員として採用した	フリーターの正社員への採用選考に当たり重視した点(複数解答)										
		学歴・経歴	職業意識・勤労意欲・チャレンジ精神	柔軟な発想	マナー・社会意識	組織への適応性	業務に役立つ専門知識や技能	業務に役立つ職業経験	コミュニケーション能力	従順さ・会社への忠誠心	体力・ストレス耐性	その他
15～34歳	84.5	7.9	68.7	5.9	59.8	33.4	19.9	17.5	52.5	7.8	11.0	1.2
35～44歳	80.7	8.4	64.0	5.4	52.5	35.1	25.8	27.0	46.0	7.9	12.5	1.1

(文科省資料より作成)

① どちらの年齢層でも，最も求められるのは勤労意欲やチャレンジ精神である。
② 年齢が上がると，業務に役立つ技能や経験が求められる。
③ どちらの年齢層でも，コミュニケーション能力は体力やストレス耐性より重視されない。
④ フリーターを正社員として採用する企業は50%をこえない。

Check! 資料読解 教科書p.17「独立自尊」 福沢は個人の独立をどのようにとらえているだろうか。

独立とは〔ア 〕を支配し，〔イ 〕心がないことである。

TRY! 1ボランティアなどの社会参加で得たことは何か，また，取り組んだことで自分がどのようにかわったのか，もしくは，どのような社会参加に興味があるか，話しあってみよう。

2日本の伝統・文化を生かしつつ，これからの国際社会で生きていくうえで，どのような態度が求められるのか，考えてみよう。

日本の伝統・文化と私たち

教科書　p.18〜19

〉〉〉**自ずから**
古代の人々は，自然の働きに素朴な驚きと畏怖の念をもち，自然をおのずから(自ずから)しかる(然る)べきものとしてあると受け入れた。(→教p.19❷)

▶日本人と自然

【カミ(神)の特徴】

・不可思議な力をもち，畏怖の念を起こさせる存在＝〔①　　　　　　　〕
・ただ一人の人格神ではなく，無数の神々…〔②　　　　　　　〕
・神話(〔③『　　　　　　』〕に見られる神々…「うむ」神々，「なる」神々
　※「自ずから」という自然観と対応
・〔①〕(精霊)は自然のあらゆるものに宿るとされた
　→アニミズムという信仰
・日本人にとっての〔①〕…自然を通して豊かな恵みをもたらす存在，一方で疫病や天災など災厄をもたらす存在
　→〔④　　　　　　　　〕，儀礼として〔⑤　　　　　〕が成立
・自然に対する素朴な驚きと畏怖の念
　→自然と対立することなく，親しみをもちながら共存
　※日本人の宗教観や道徳観，世界観の基礎に

▶日本人が重視してきた倫理観

【伝統的な倫理観】

・カミや人に対して嘘偽りがなく，飾らず，明朗で曇りのない心
　…〔⑥　　　　　　　　　　〕
　※のちの正直や誠という道徳観の源に

〉〉〉**儒教**
仁(人間愛)とこれが表面にあらわれた礼を重視する教えで，中国の孔子(前551ごろ〜前479)を祖とする。
※仁の根本にあるのが孝悌(父母に孝行し，兄や年長者に従順であること)であり，これが他人へと向かうと，克己(利己心を抑えること)，忠(自分を偽らない真心)，恕(他人への思いやり)，信(人を欺かないこと)という心のあり方となる。(→教p.19❸)

【儒学と国学】

・江戸時代…社会秩序を支える道徳として儒学(儒教の学問)を重視
・伊藤仁斎…江戸時代前期の儒学者
　仁愛を最重要視し，仁愛の根底に自他に対して私心のない純粋な心のありようである〔⑦　　　　〕を置く
　→日常生活における〔⑧　　　　　〕の実践となってあらわれる
・江戸時代中期…日本の古典に基づき日本古来の純粋な考え方を見出そうとする〔⑨　　　　　〕の運動が起こる
・本居宣長…日本古来の〔⑩　　　　　〕の道を説き，人間性を道理によって理解することを批判
　人間のあるべき姿は，ものに当たるときに自然とわき上がってくる，ありのままの感情(〔⑪　　　　　　　　　　〕)につくこと

▶日本の近代化と個のとらえ直し

【西洋文化・思想の受容】

・福沢諭吉
　…明治期の啓蒙思想家，封建制度を支えた儒教道徳を批判
　〔⑫　　　　　　　〕論を主張
　独立自尊の精神をもつことの重要性
　→「〔⑬　　　　　　　　　　　　〕」と主張

〉〉〉福沢は，天賦人権の考えを「天は人の上に人を造らず，人の下に人を造らずと云へり」(『学問のすゝめ』より)といった言葉で言いあらわしている。(→教p.19❹)

【近代化(西洋化)と個人(近代的自我)の出現】

・**夏目漱石**

…日本の近代化は〔⑭　　　　　　　〕を欠いた〔⑮　　　　　　　〕であると説く

→日本人は自己の確立が遅れていると批判

独特の個人主義…利己主義(エゴイズム)ではなく,〔⑯　　　　　　　〕に生きる

・**和辻哲郎**…人間は〔⑰　　　　　　　〕

→人間はただ孤立した個人としてあるのではなく,人と人との関係(つながり)のなかにおいてある

正誤問題　**次の文が正しい場合には○,誤っている場合には×を〔　〕に記入しなさい。**

1．カミ(精霊)は山や川,草や木,鳥獣や人間など自然のあらゆるものに宿ると考えられてきた。〔　　　〕

2．江戸時代前期の儒学者伊藤仁斎は,中国の学派の解釈を取り入れ,儒学の発展に努めた。〔　　　〕

Work　**1孔子の仁について,次の空欄に当てはまる語句を答えなさい。**

〔①　　　　〕	父母に孝行し、兄や年長者に従順であること
〔②　　　　〕	利己心を抑えること
〔③　　　　〕	自分を偽らない真心
〔④　　　　〕	他人への思いやり
〔⑤　　　　〕	人を欺かないこと

2日本の伝統的な文化や思想に関する記述として最も適当なものを,次の①～④のうちから一つ選びなさい。

① 古代の日本において尊ばれた,人に対して嘘偽りがなく,飾らない心のありようを,漢意という。

② 古代の日本において見られた,自然のあらゆるものにカミ(精霊)が宿るとする信仰を,神仏習合という。

③ 伊藤仁斎は,中国の学派による儒学の解釈をもとに,「誠」を論じた。

④ 本居宣長は,人間のあるべき姿とは,ものにふれるときに自然とわき上がる,「もののあはれ」を知ることだと主張した。

〈センター試験現代社会2018年本試を改変〉

〔　　　〕

Check!　**教科書p.19「間柄的存在」　和辻によれば,人間はどのような存在なのだろうか。次の文章の空欄に当てはまる語句を記入しなさい。**

西洋の思想に言われるように,人間は単なる孤立した〔**ア**　　　　　〕としてあるのではなく,また単なる〔**イ**　　　　　〕でもない。人間は,〔**ア**〕と〔**イ**〕の弁証法的統一であるところの〔**ウ**　　　　　　　　〕なのである。

章末問題　第1編第1章　社会を作る私たち

教科書　p.6～19

Check ✓ 重要用語

1. 生涯における青年期の意義	
❶近代以前の社会でおこなわれた子どもからおとなになるための儀式など，人生の節目でおこなわれる儀式。	❶
❷おとなになるための準備期間として，社会的な責任や義務が猶予された時期。アメリカの心理学者エリクソンによる。	❷
❸ルソーが著書『エミール』のなかで青年期をさして表現した言葉。	❸
❹いずれの集団にも属することができず，行動の仕方が一定しない人をさしてドイツの心理学者レヴィンが名づけた言葉。	❹
2. 青年期と自己形成の課題	
❺さまざまな欲求間の対立が生じ，その選択が困難になること。	❺
❻欲求をもつ個人が，対人関係での相手からの期待・欲求や，社会規範などの環境に適合しようと努めること。	❻
❼欲求が実現されず，心の緊張が高まること。	❼
❽不安などの苦痛を避け，自我を守ろうとする無意識の心の働き。	❽
❾欲求不満に耐える力。	❾
❿欲求は基本的欲求が満たされることでより高次の欲求があらわれるとする欲求階層説を唱えた心理学者。	❿
⓫心のエネルギーが向かう方向を外向・内向として分類，類型化して性格を論じたスイスの心理学者。	⓫
⓬ライフサイクルの各段階で達成するべき課題。	⓬
⓭無自覚的に生きてきた自分や，周囲の期待に従っている自分と，理想の自分とを対峙させつつ，両者を統合してより一貫した自分を作り上げること。エリクソンによる。	⓭
⓮共同体感覚をもつ人は，自分自身を勇気づけることができ，劣等感を克服して人生を有用なほうに向けようと努力することができると論じたオーストリアの心理学者。	⓮
⓯等身大の自己を見失い，「自分が何者かわからない」という状態に陥ること。	⓯
3. 職業生活と社会参加	
⓰生徒が一定期間，実際に企業などで職業体験をすること。	⓰
⓱日本では，15～34歳の未婚者で，就業，就学，職業訓練をしていない人。	⓱
4. 現代社会と青年の生き方	
⓲個人の独立自尊と合理的な学問の発展を重視した，幕末から明治時代の思想家。	⓲
Seminar　日本の伝統・文化と私たち	
⓳さまざまな事物に霊魂を認める信仰。	⓳
⓴中国の解釈に頼らず，仁と誠を重視し，日常における忠信の実践を説いた江戸時代前期の儒学者。	⓴
㉑ものに当たるときに自然とわき上がる，ありのままの感情。本居宣長は，人間のあるべき姿は，これにつくことであると主張した。	㉑
㉒人間はただ孤立した個人ではなく，社会のなかで関係をもちあって存在することをあらわす，和辻哲郎による言葉。	㉒

演習問題

1 青年期の発達に関する記述として最も適当なものを，次の①～④のうちから一つ選べ。

① ルソーは，「ライフサイクル」という語を用いて，乳児期から青年期を経て成熟期（老年期）に至る八つの期からなる人間の発達について論じた。

② 青年期に，親をはじめとする大人の保護や監督から離れ，精神的に自立していくことは，「心理的離乳」と呼ばれる。

③ ユングは，子どもから大人への過渡期にあり，子どもの集団にも大人の集団にも安定した帰属意識をもてない青年を「境界人」と呼んだ。

④ エリクソンによる「心理・社会的モラトリアム」とは，アイデンティティを確立できず，自分がどのような人間なのかを見失った状態を指す。

〈2021年大学入学共通テスト現代社会本試 第1日程〉

2 葛藤を感じたときの対処の仕方に関する次の記述ア～ウと，それぞれに対応する防衛機制（防衛反応）の種類（型）の名称A～Cとの組合せとして最も適当なものを，下の①～⑥のうちから一つ選べ。

ア 苦手な人と話をするときに，気持ちとは反対に，思わず笑顔でその人に対応してしまう。

イ 友達とけんかをしてイライラしたときに，たまたま家にいた家族に意地悪なことを言ってしまう。

ウ 仲間たちの間で流行している服が欲しいが，値段が高くて買えないときに，「どうせすぐに，はやらなくなる」と考えてしまう。

A 合理化　　B 反動形成　　C 代　償

① アーA　イーB　ウーC
② アーA　イーC　ウーB
③ アーB　イーA　ウーC
④ アーB　イーC　ウーA
⑤ アーC　イーA　ウーB
⑥ アーC　イーB　ウーA

〈2017年大学入学共通テスト現代社会第1回試行調査〉

3 ミキは，伊藤仁斎が述べた次の二つの文章を参考にして，下のレポートを作成した。これを読み，以下の問いに答えなさい。

> 仁は，徳のうちでも偉大なものである。しかしこれを一語でいいつくそうとすれば，愛そのものだ。それは君臣関係においては義といわれ，父子では親といい，夫婦では別(けじめ)といい，兄弟では叙(じょ)(順序)といい，朋友では信(誠実)といわれる。みな愛から発したものである。思うに，愛は実体のある心情から発するものである。だからこの義などの五つのものは，愛から発するときは，本物であるが，愛から発しないときは，いつわりのものにしかすぎない……(a)孔子に学ぶ人が，仁を徳の第一としているのは，このためであると考えられる。
> （『童子問』より）

> 誠は道の全体だ。だから聖人の学は，必ず誠を根本にし，そして，その多くの言葉は，みな人に誠を尽(つ)くさせる方法でないものはない。いわゆる仁・義・礼・智，いわゆる孝・弟・忠・信は，みな誠をその根本にし，そして誠でないと仁が仁でなく，義が義でなく，礼が礼でなく，智が智でなく，孝・弟・忠・信もまた孝・弟・忠・信であることができない。このためにいう。「誠でなければものはない。」
> （『語孟字義』より）

レポート

江戸時代の儒学者伊藤仁斎によると，儒学の偉大な徳である(　①　)は，(　②　)そのものと言いあらわすことができます。父子の親，君臣の義，夫婦の別，兄弟の叙(序)，朋友の信という五倫も，実体のある心情である(②)から発したものです。

(①)・(②)の根底にあるのは，自他に対して私心のない純粋な心のありようである(　③　)です。「仁・義・礼・智」という四徳や，「孝・弟(悌)・忠・信」は，(③)を根本としています。(③)という道徳観の源には，日本人が重視してきた(b)清き明き心(清明心)があります。伊藤仁斎は，日本的な心情を源として，日用の実践的な儒学を説くことで，日本に儒教を定着させたのではないかと考えました。

問1　レポートの空欄(　①　)～(　③　)に当てはまる語句を答えよ。

①	②	③

問2　下線部(a)の理由を答えよ。

問3　下線部(b)の説明として最も適当なものを，次の①～④のうちから一つ選べ。

① さまざまな事物に霊魂を認める心
② 自然と対立することなく親しみをも感じながら共存する心
③ 人に対して嘘偽りがなく，飾らず，明朗で曇りのない心
④ ものに当たるときに自然とわき上がる，ありのままの心

4 欲求不満が生じたときの対処について，防衛機制「合理化」の例とされる有名な寓話を次に示した。

> 【防衛機制［X］の例】
> 　高い木になっているブドウを見つけて欲しくなり，それを採ろうとするがどうしても採れなかったキツネが，［Y］。

この例では，［X］に合理化が，［Y］に「『あのブドウは酸っぱいに違いない』と考える」が挿入され，寓話が完成する。これを題材に，他の防衛機制の例を示す場合，防衛機制［X］と，それに対応する例に入る記述［Y］の組合せとして最も適当なものを，次の①～⑥のうちから一つ選べ。

① X　反動形成
　Y　『今はおなかがいっぱいだ』と考える
② X　反動形成
　Y　『今日は誰と遊ぼうかな』と考える（ブドウのことを忘れている）
③ X　抑圧
　Y　ブドウの木に火をつけて燃やしてしまう
④ X　抑圧
　Y　『このブドウは僕には食べられるのが嫌なんだ』と考える
⑤ X　置き換え
　Y　ブドウに化けようとする
⑥ X　置き換え
　Y　ブドウではなく大好物のイチジクを採りに行く

〈2021年大学入学共通テスト現代社会本試 第1日程〉

［　　　］

1 ギリシアの思想

教科書　p.22〜24

〉〉〉〔①〕
無知を自覚するからこそ，真の知を求め，正しい行為をとるように努力すると考えた。(→教p.22❶)

〉〉〉ソクラテスの死
ソクラテスは無知を自覚させる活動によって反感を買い，告発され，死刑を宣告された。
→逃亡をすすめられたが，不正であるとして拒み，処刑＝「よく生きる」ことを貫き，アテネ市民に身をもって示した。

〉〉〉プラトン
ソクラテスの弟子，主著『饗宴』『国家』。
理想的な世界(イデア界)と現実の世界とを分けてとらえる二元論的な世界観を示し，真の実在(本当のもの)は現実の世界にはなく，イデア界にあるとした。(→教p.23❶)

▶よく生きる―ソクラテス―

【知を愛し求めること】

・「ソクラテスに優る知者はいない」という神託(神のお告げ)
→ソクラテスは自分が知者であると思っていなかった
→当時の名高い知者たちを訪れ会話をかわしたが，彼らであっても，善や美について何一つわかっていないと気づいた
→自分はそれを知らないということを自覚しているという点で，彼らより優れた知者であると理解

・自分が無知であると自覚すること＝〔①　　　　　　　〕が，人間にとって学ぶことの出発点
→知を愛し求めること＝フィロソフィア，哲学が大切

・無知を自覚させる方法
…対話を通じて認識を深め，真の知に迫っていく＝〔②　　　　　　〕

・ソクラテスの最大の関心事
…ただ生きることではなく，「〔③　　　　　　　　〕」こと
＝善や正を真に知ろうとすること

・人間の真の姿＝〔④　　　　　　　　　　〕
→〔④〕をよいものとするように絶えず世話をすること＝〔⑤　　　　　　　〕を訴えた

【知と徳】

・人が善や正を真に知ることで，魂の優れたあり方である徳(〔⑥　　　　　　〕)の実現＝〔⑦　　　　　　　　　　〕
→よいおこないや正しいおこないを実行＝〔⑧　　　　　　〕
→よく生き，幸福に生きることができる＝〔⑨　　　　　　〕

▶理想主義―プラトン―

・人間に確実な知をもたらすもの…〔⑩　　　　　〕
→〔⑩〕によってとらえられる，ものごとの真の姿＝〔⑪　　　　　　〕

・〔⑪〕(真の実在)の世界…かつて人間の魂があった場所
→〔⑪〕の世界を想い起こし，〔⑪〕にあこがれる＝〔⑫　　　　　　〕
→〔⑪〕の世界を追求することが，幸福につながる

・人間の魂…〔⑩〕，欲望，気概の３部分からなる
→〔⑩〕が気概と欲望を統御，魂全体の調和→〔⑬　　　　　　〕の徳の実現

・哲学者(国家の理性的な部分)が統治する〔⑭　　　　　　〕
→正義の支配する理想国家の実現

▶現実主義―アリストテレス―

・真の実在…感覚でとらえられる具体的な個々の事物

・事物の成り立ち
本質(形相)→ 素材(質料)を得る → 現実化

・人間の形相…魂，人間にとっての徳…魂の優れたあり方
・徳に基づいた現実の行動や生き方→人間にとっての善が実現
・よい行為を反復することによって得られる徳
…〔⑮　　　　　　　　　　〕　※勇気や節制
→人間は行為を通じて極端や過不足を避けた〔⑯　　　　　〕を選択
・教育を通じて理性が十分に働く状態…〔⑰　　　　　　　〕　※知恵や思慮
・人間の最高善…幸福，最高の幸福をもたらす生き方＝理性を純粋に働かせる
〔⑱　　　　　　　　　　　〕的生活
・アリストテレスの人間観…「**人間は，本性上，ポリス（社会）的動物である**」
・共同体で生きるうえで欠かせないもの
…〔⑮〕のなかの**正義**と〔⑲　　　　　　〕
全体的正義…法を守るという広義の正義
部分的正義…人々の間に公平が実現するという狭義の正義

〉〉〉**アリストテレス**
プラトンの弟子。さまざまな学問分野を開拓し，「万学の祖」と呼ばれる。主著『形而上学』『ニコマコス倫理学』。（→図p.24❶）

〉〉〉**部分的正義**
名誉や財貨などを各人の功績や働きに応じて配分する配分的正義と，裁判や取引などで当事者の利害や得失が均等になるように調整する調整的正義とに分けられる。（→図p.24❷）

正誤問題　**次の文が正しい場合には○，誤っている場合には×を〔　〕に記入しなさい。**

1．「無知の知」とは，ものごとを知らないほうが正しい行動ができるという，ソクラテスの説く知行合一をさす言葉である。〔　　　〕
2．理想的な真の実在に対してあこがれる愛をさしてエロースと呼ぶ。〔　　　〕
3．アリストテレスは，個々の事物のなかにそのものを成り立たせている本質（質料）があり，この本質が素材（形相）を得て現実化することによって，事物が成り立つと考えた。〔　　　〕

Work　**次の文中の空欄に当てはまる語句を答えなさい。**

ソクラテスの死について描かれた作品にダヴィッドによる「ソクラテスの死」がある。一部の市民から反感を買い，告発されたソクラテスは，裁判で無実を訴えたが死刑の宣告を受ける。逃亡をすすめる友人もいたが，〔①　　　　　〕な生き方をすることを拒み，処刑を受け入れたシーンが描かれている。また，このことは，ソクラテスにとって「〔②　　　　　　　　　〕」ことを貫くことを意味している。

TRY!　**1よく生きること，また幸福に生きることとはどういうことなのか，次の文章の空欄に当てはまる語句を記入し，ソクラテス，プラトン，アリストテレスの考え方をまとめてみよう。**

・ソクラテス：人間にとっての〔**ア**　　　　　　〕が何であるかを真に知ろうとすること。
・プラトン：魂が〔**イ**　　　　　　〕の世界を想い起こし，追求すること。
・アリストテレス：理性を純粋に働かせる〔**ウ**　　　　　　　　　　〕的生活を送ること。

2よく生きること，また幸福に生きることとはどういうことなのか，考えてみよう。

2 宗教の教え

教科書　p.25〜28

〉〉〉**宗教と社会**
宗教は世界の成り立ちや真理，人間にとっての生きる意味などについて多くの知恵を示す。
→人々の間をつなぎ，その宗教を信じる人々の社会を基礎づけている。

〉〉〉**選民思想**
ユダヤ教における，この世の終わりに神がユダヤ人のみを救うという終末観。(→教p.25❶)

〉〉〉**〔⑤〕**
全能で父のように慈愛に満ちた神が，惜しみなくすべての者に無差別に与える愛。(→教p.25❷)

〉〉〉**〔⑧〕**
人類の祖アダムとエヴァが神との約束を破り，楽園を追放されたこと(すべての人間は，この神に背いた罪を引きついでおり，人間自身の力では罪から解放され得ない)。(→教p.26❷)

〉〉〉**六信**
(1)アッラー，(2)天使，(3)啓典，(4)使徒(預言者)，(5)来世，(6)予定(天命)

〉〉〉**五行**
(1)信仰告白，(2)礼拝(1日5回メッカに向かって神を拝すること)，(3)喜捨(貧者への救貧税)，(4)断食，(5)巡礼(聖地メッカへの巡礼)

〉〉〉**四諦**
悟りを開いたブッダが説いた四つの真理(苦諦＝この世は苦である，集諦＝苦は執着から生じる，滅諦＝執着を滅することで苦をなくす，道諦＝そのための正しい修行法は八正道である)。(→教p.27❶)

▶キリスト教

・キリスト教…〔①　　　　　　〕を母胎として生まれた
・ユダヤ人…多くの迫害を受けるなか，唯一絶対の神ヤハウェへの信仰に基づく〔①〕を形成
　→自分たちを救い，神の国を実現する救世主(〔②　　　　　〕)を求める

【ユダヤ教の教え】

・神が定めた〔③　　　　　〕を厳格に守る　※モーセの〔④　　　　　〕など
　→人間としての正しさ(義)＝律法主義
　〔③〕を守れない人々は罪人として蔑視

【イエスの教え】

・〔③〕を守れない人々にこそ，〔⑤　　　　　　　　　〕は注がれる
　→神を愛することと〔⑥　　　　　〕を説く
・律法を守ることのできない人々を差別せず，受け入れる
　→「人にしてもらいたいと思うことは何でも，あなた方も人にしなさい」
　(黄金律)
・イエス…〔⑤〕という〔⑦　　　　　〕(よい知らせ)を説く
・イエスの処刑(十字架の刑)…ユダヤ教の律法主義と対立
　→人間がもつ根源的な罪(〔⑧　　　　　〕)をイエスがあがなった〔⑨　　　　　〕の死であるとされる
　→イエスを救世主(〔⑩　　　　　〕)とする信仰が生まれる
　＝原始キリスト教

▶イスラーム

・全知全能のアッラーに絶対的に服従すること＝〔⑪　　　　　〕
　…唯一神アッラーを信じる一神教
・開祖…メッカ出身の〔⑫　　　　　　〕　※最大にして最後の預言者
・アッラーの啓示を記した啓典…『〔⑬　　　　　　〕』
　…信仰内容や信者の勤め(〔⑭　　　　　　〕)のほか，政治や経済など社会生活のあり方についても記される(生活のすべてが宗教的営み)

▶仏教

・開祖…〔⑮　　　　　　　　　〕(ブッダ)
・ブッダの教え…現実の世界は苦しみに満ちている(一切皆苦)
　※生・老・病・死の〔⑯　　　　　〕＋
　怨憎会苦，愛別離苦，求不得苦，五蘊盛苦＝〔⑰　　　　　　〕
・苦の生まれる原因…自分や自分の持ち物に執着する心や〔⑱　　　　　〕
　(＝人をわずらわせ，悩ませる迷いの心)，それらを引き起こす渇愛
・ブッダが悟った真理(ダルマ，法)＝〔⑲　　　　　〕(あらゆるものは互いに依存しあって生起しており，それ自体で孤立して存在するものはない)

・常にかわらないものは一つとしてない…〔⑳　　　　　　　　〕
・それだけで存在するような固定的なものはない…〔㉑　　　　　　　　〕
・真理を理解せず，**無明**(根源的無知)にとらわれ，かわらないものを求め続ける
　→執着や〔⑱〕から逃れられず，苦を取り除くことができない
・欲望を滅ぼし，執着を捨てる→心安らかな境地に至る＝〔㉒　　　　　　　　〕
・悟りを得るためには…正しい修行(**八正道**)をおこなう必要性
　→修行の実践によって生まれる心＝〔㉓　　　　　　〕の心

▶中国思想

・儒教…〔㉔　　　　　　〕が祖，祖先崇拝を基礎とする
・〔㉕　　　　　〕…近親者に対する自然な情愛(根本には，父母に孝行し，兄や年長者に従順である孝悌)
　→他人へ向かうと，**克己**(利己心を抑える)，**忠**(自分を偽らない真心)，**恕**(他人への思いやり)，**信**(人を欺かない)という心のあり方に
・〔㉕〕の実践…〔㉖　　　　　〕(客観的な形式)

〉〉〉**八正道**
正見(正しい見解)，正思(正しい思索)，正語(正しい言葉)，正業(正しい行為)，正命(正しい生活)，正精進(正しい努力)，正念(正しい気づき)，正定(正しい精神統一)という八つの正しい修行。(→教p.28❶)

〉〉〉**君子**
孔子は，仁の実現と自己の道徳的完成をめざす人間を君子と呼んだ。

〉〉〉**人倫の道**
孔子は，仁と礼に基づく政治を主張し，徳治主義を理想として，人々が従うべき人倫の道を説いた。

正誤問題　**次の文が正しい場合には○，誤っている場合には×を〔　〕に記入しなさい。**

1．ユダヤ教には，この世の終わりには神がすべての人を救うという終末観がある。　〔　　　〕
2．イエスは，律法を守ることのできない人々には，神の愛が注がれないと説いた。　〔　　　〕
3．アッラーの啓示を記した啓展『クルアーン』には，信者が実践すべき道徳だけでなく，政治・経済などの社会生活のあり方についても記されている。　〔　　　〕
4．上座部仏教は，スリランカや東南アジアに伝来した。　〔　　　〕

Work　**各国の社会において信仰されている宗教に関する記述として最も適当なものを，次の①～④のうちから一つ選べ。**

① 神道において信仰される八百万の神は，事物や現象などすべての自然物に宿る霊的存在を統合した人格神である。
② イスラーム教における五行には，信仰告白・礼拝・喜捨がいずれも含まれている。
③ キリスト教において救世主とされるイエスは，十戒の啓示を神から授かり，人々は神の戒めである律法を遵守すべきであると説いた。
④ 仏教を開いたゴータマ=ブッダは，人の生における苦の原因の一つとして，縁起の法に無知な状態を意味する涅槃があると説いた。
(2017年センター試験現代社会追試)

TRY!　**社会に生きる私たちにとって，宗教から学べることは何だろうか，次の文章の空欄に当てはまる語句を記入し，キリスト教，イスラーム，仏教の教えをまとめてみよう。**

・キリスト教：〔ア　　　　　　　〕といった，すべての人を分け隔てなく愛すること。
・イスラーム：啓典『クルアーン』などに示されている，貧者や社会的弱者を助け，〔イ　　　　　　〕して生きること。
・仏教：苦しみを取り除くためには，真理を理解して，自分や自分の持ち物に執着する心や〔ウ　　　　　〕といった迷いの心(欲望)などを断ち切る必要があること。

3 人間の尊重

教科書　p.29～31

〉〉〉**モラリスト**
人間の生き方を探究，人間の尊厳という考えを人間中心主義(ヒューマニズム)より受けつぐ。
(例)パスカル…人間は「考える葦」
(→教p.29❶)

〉〉〉**代表的な自然科学者**
ケプラー(惑星の運動法則を発見)，ガリレイ(物体の落下の法則を発見し，近代物理学の基礎を築く)，ニュートン(万有引力の法則を発見し，近代の物理学を完成)。(→教p.30❶)

〉〉〉〔⑪〕
「種族の〔⑪〕」(人間に特有の感覚や知覚から生じる)
「洞窟の〔⑪〕」(個人の性格や環境から生じる)
「市場の〔⑪〕」(会話で言葉を不適切に使うことから生じる)
「劇場の〔⑪〕」(誤った学説や理論を信じることから生じる)
がある。(→教p.30❷)

▶人間中心主義

・中世末期のヨーロッパで起こった文芸運動…〔①　　　　　〕
　→古代ギリシア・ローマ文化の復興
・ギリシア・ローマの古典の研究を通じて，人間を尊重し，人間らしさを賛美しようとする立場
　…〔②　　　　　〕
　→人間をキリスト教の神のもとから解放
　→〔③　　　　　〕
　※理想とされた人間観＝〔④　　　　　〕(あらゆる分野で能力を発揮する人間)
　　(例)〔⑤　　　　　〕
・〔⑥　　　　　〕の人間観
　…自由な意志によって，人間としての尊厳をもつことができる

▶宗教改革

・ルネサンスはキリスト教に影響を与える→〔⑦　　　　　〕
　…純粋な信仰の復活，人間は教会から自立しており神のもとで平等な存在
・〔⑧　　　　　〕…ドイツの神学者，人間は聖書だけをよりどころとした信仰によってのみ救われると説いた

▶近代自然科学の誕生

【自然観の転換】
・神を中心とする中世の自然観→近代の〔⑨　　　　　〕
・〔⑩　　　　　〕…古代以来の天動説を否定し，地動説を唱えた

▶知は力なり―ベーコン―

【新しい学問のあり方】
・ベーコン…偏見(〔⑪　　　　　〕)を取り除くことを唱えた
　人間の〔⑫　　　　　〕を重んじ，観察や実験を通じて，確かな知識を得る
　個々の具体的な事実に対して観察や実験をおこない，そこから一般的法則・原理を見出す＝〔⑬　　　　　〕

【経験を重視する立場】
・知識の源泉を〔⑫〕のうちに求める立場＝〔⑭　　　　　〕
　→学問の目標は，〔⑫〕から得た知識によって人間の生活を豊かにすること
　　＝「知は力なり」

▶考える私―デカルト―

【ベーコンとは異なる，新しい学問のあり方】
・デカルト…経験よりも〔⑮　　　　　〕を重んじる
　〔⑮〕による推理を通じて，確かな知識を得る

【確かな知識を得る方法】
・確かな知識を得るために，すべてを疑う＝〔⑯　　　　　〕

【絶対に確実な真理】

・すべてが疑わしいと考えている間も，そう考えている私は存在しなければならない

→〔⑰　　　　　　　　〕…けっして疑うことのできないもの

→「私は考える，それゆえに私はある(コギト・エルゴ・スム)」が絶対に確実な真理

【新しい学問のあり方】

・絶対確実な一般的法則・原理を前提として，理性による推理をおこない，結論を導く＝〔⑱　　　　　　〕

【理性を重視する立場】

・知識の源泉を〔⑮〕のうちに求める立場＝〔⑲　　　　　　〕

→〔⑮〕によって確かな知識を得ることで，人間は進歩する

〉〉〉〔⑮〕
デカルトは，理性(良識，ボン・サンス)はすべての人に等しく与えられており，その使い方が重要であると主張した。(→教p.31❶)

正誤問題 次の文が正しい場合には○，誤っている場合には×を〔　〕に記入しなさい。

1．コペルニクスは，地球が太陽の周囲を回転するという地動説を唱えた。〔　　　〕

2．ベーコンは観察や実験による経験よりも，理性による推理を通じて確かな知識を得ようとした。〔　　　〕

3．個々の具体的な事実，経験から出発して普遍的な真理に至る方法を方法的懐疑という。〔　　　〕

Work 次の表の空欄に当てまる語句を答えなさい。

〔①　　　　〕のイドラ	人間に特有の感覚や知覚から生じる
洞窟のイドラ	個人の〔②　　　　〕や環境から生じる
市場のイドラ	会話で〔③　　　　〕を不適切に使うことから生じる
〔④　　　　〕のイドラ	誤った学説や理論を信じることから生じる

Check! 資料読解 教科書p.31「知は力なり」 ベーコンのいう知識とは，自然の現象がどのような原因から生まれ，どのような結果をもたらすのかという，自然についての知識のことである。では，そのような知識が人間にとって力となるとは，どういうことだろうか。次の文章の空欄に当てはまる語句を記入して，説明しなさい。

ベーコンは，自然とは，これに〔ア　　　　〕ことによらなくては征服されないと考えた。つまり，自然の現象がどのような原因から生まれ，どのような結果をもたらすのかという知識を得ることで，自然を征服することができる。そして，観察や実験といった〔イ　　　　〕を通じて得た自然についての知識は，人間の生活を豊かにする力となる。

TRY! 人間を尊重するとはどういうことか，パスカルやピコの考え方を参考にして考えてみよう。

4 人間の自由と尊厳

教科書　p.32〜34

〉〉〉**動機説**
ある行為が道徳的な価値をもつかどうかを，その行為の目的や結果ではなく，善意志という行為の動機のうちに見出そうとする立場。(→教p.33❶)

〉〉〉**義務論**
義務を義務としておこなうように，義務を重視する考え方。(→教p.33❶)

〉〉〉〔③〕
自然のものごとはすべて，自然法則(原因と結果の法則＝因果律)によって決定されているのに対して，理性的な存在である人間だけは，〔③〕をもっている。(→教p.33❷)

〉〉〉**目的の国**
人々が互いの人格を目的として尊重する理想の社会。→国家を一つの人格とみなし，国家が互いを尊重し，連盟することで永遠平和が実現する。(→教p.33❸)

〉〉〉**絶対精神**
世界を動かしている絶対者の精神→世界の歴史は，絶対精神(世界精神)が自己の理念を現実のものとし，自己の本質たる自由を実現する過程。

▶自由と道徳法則―カント―

【道徳的な生き方】

・人間としてなすべき〔①　　　　〕を義務としておこなう意志
　…〔②　　　　　　〕　※無条件に善いもの

【人間の自由】

・人間以外の動物…自然の本能や欲求に従って生きている
・人間…理性によって自分のなすべきことを知り，それを自分の意志でおこなうことができる
　自分の意志でおこなう自由＝〔③　　　　　　　　〕
・理性…人間としてなすべきことを命令する
・理性の命令
　≠条件付きの命令(〔④　　　　　　　〕)
　　例：「幸福になりたいのなら，正直であれ」
　＝無条件の命令(〔⑤　　　　　　　〕)　(例)「正直であれ」
　→理性による無条件の命令＝〔⑥　　　　　　〕
・〔⑥〕に従うこと＝自由
　→「怒られたくない」という欲求から「嘘をつく」
　　※欲求にとらわれているから，自由ではない
　→道徳法則に従い，欲求を抑えて「正直に言う」
　　※法則を立てるのが人間自身だから，自由である
　→真の自由…人間が理性によって自ら道徳法則を立て，自らそれに従うこと
　　＝〔⑦　　　　　　　〕

▶人格の尊厳

・意志の自律→人間の尊厳
　自律的な存在としての人間＝〔⑧　　　　〕
　※それ自体で「価値」がある≠もの(物件)
　→人間…何かの単なる手段ではなく，「目的そのもの」として扱うべき

▶共同体における自由―ヘーゲル―

【カントの自由との違い】

カントの考える自由…個人が道徳的に生きること(主観的・抽象的)
ヘーゲルの考える自由…人間が共同体の一員として生きること(客観的・具体的)
・自由が実現される共同体やその倫理…〔⑨　　　　〕
　＝人間を外から制約する客観的な〔⑩　　　〕と，内から制約する主観的な〔⑪　　　　〕とが総合(〔⑫　　　　〕)されたもの

【人倫の3段階】

・〔⑬　　　　〕
・〔⑭　　　　　　〕
・〔⑮　　　　〕

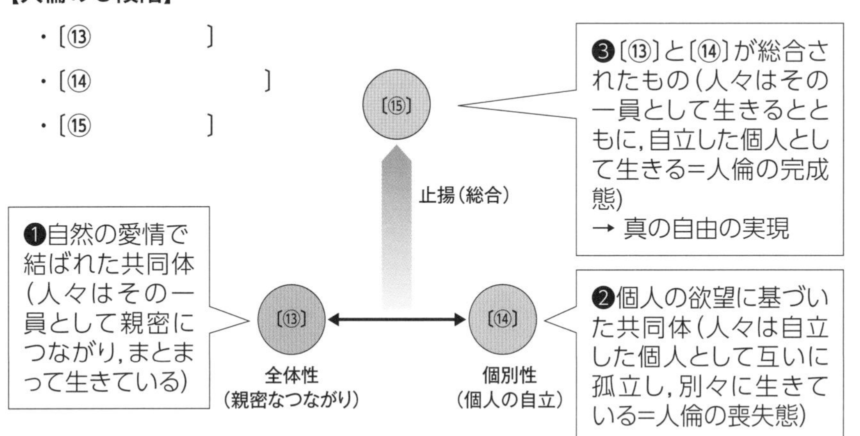

〉〉〉**弁証法**
人倫が発展して自由が実現される過程。
❶あるもの（正）の内には，自身と矛盾・対立するもの（反）が含まれており，
❷やがて，両者は矛盾・対立するが，
❸しばらくすると，両者を総合（止揚）した，より高次のもの（合）があらわれる。
（→教p.34）

Work **1次の文中の空欄に当てはまる語句を答えなさい。**

ドイツの哲学者カントは，感覚と知性の協働によって人間の認識が成立することを明らかにして，〔**ア**　　　　　〕と〔**イ**　　　　　〕とを総合した。同じくドイツの哲学者ヘーゲルは，世界を動かしているのは，絶対者の精神たる〔**ウ**　　　　　　　〕であり，世界の歴史は，〔**ウ**〕が自己の理念を現実のものとし，自己の本質たる自由を実現する過程であるとした。

2次の文章の空欄に，正・反・止揚・合の四つの語句を入れ，文章を完成させなさい。

弁証法とは，あるもの（〔**ア**　　　　〕）には，自己自身のなかに自己と対立し矛盾するもの（〔**イ**　　　　〕）が含まれており，この対立・矛盾がより高い次元で総合（〔**ウ**　　　　〕）され，統一される（〔**エ**　　　　〕）という法則をいう。

Check! 資料読解 **教科書p.33「道徳法則」 カントが考える道徳法則とは，あなたの考える原則がすべての人に当てはまるような法則となり得る場合にのみ，その原則に従って行為すべきである，という意味である。では，そのような原則として，たとえば，どのようなものが考えられるだろうか。**

TRY! **カントのいう自由とヘーゲルのいう自由はどう違うのか，次の文章の空欄に適する語句を入れ，個人や共同体に着目して考えてみよう。**

カントのいう自由は，個人の道徳的な生き方のうちに見出される。〔**ア**　　　　　〕によって自ら道徳法則を立て，自らそれに従う〔**イ**　　　　　　　　〕に，真の自由がある。それに対して，ヘーゲルのいう自由は，個人だけで実現されるものではなく，共同体においてはじめて実現する。自立した個人は，〔**ウ**　　　　　〕の完成態である国家の一員として生きることで，真の自由を手にする。

5 個人と社会

教科書　p.35～37

・近代資本主義の成立…個人の利益と社会の利益の対立，不平等や貧困の問題
　→社会の改良をめざす思想

【アダム=スミスの思想】

・個人が自分の利益を自由に求めることが社会の利益をもたらす
　※ただし，人は他人から共感されることを欲して利己心を抑える

▶個人と社会の調和─功利主義─

【ベンサムの思想】

・幸福を増やす行為を正しい行為とし，幸福を減らす行為を不正な行為とする原理
　…〔①　　　　　　〕

・幸福＝快楽，不幸＝苦痛
　→あらゆる人は快楽を求め，苦痛を避ける(ベンサムの人間観)

・社会＝個人の集合
　→社会の幸福＝個人の幸福の合計
　→社会の幸福の増大＝個人の幸福の増大
　→〔②　　　　　　　　〕の実現…私益と公益の調和
　　＝〔③　　　　　〕

・ベンサムの〔③〕
　…快楽(幸福)の量だけを問題にした＝〔④　　　　　　〕

【ミルの思想】

・ベンサムの〔③〕を修正し，快楽(幸福)の質も問題にした＝〔⑤　　　　　〕

<ベンサム，ミルの〔③〕>
　〔⑥　　　　　〕…正しい行為とは善い結果を生み出す行為のことである，とする考え方
　↕
<カント>
　〔⑦　　　　　〕…正しい行為とは守るべき義務に合致する行為のことである，とする考え方

▶社会の変革─マルクス─

【資本主義の問題を克服】

・資本主義…財産の私有，自由な競争
・資本主義の問題…不平等，貧困など
　→財産の共有，生産の協同…〔⑧　　　　　〕

【マルクスの思想】

・資本主義社会…労働の生産物，労働力は資本家のもの
　労働者のものであったはずの労働が労働者を苦しめる＝(労働の〔⑨　　　　〕)
　→人間性の喪失
　→〔⑧〕の実現によって，人間性の回復へ

〉〉〉ミルは，「満足した豚であるよりも不満足な人間であるほうがよく，満足した愚か者であるよりも不満足なソクラテスであるほうがよい」と述べ，快楽に質の差があることを強調した。(→教p.36❶)

〉〉〉**マルクス・レーニン主義**
労働者が革命によって共産主義の政権を設立することをめざす。(→教p.37❸)

〉〉〉**社会民主主義**
議会を通して社会主義を実現することをめざす。(→教p.37❸)

・社会の土台
…物質的な生活(経済)＝[⑩　　　　　　　]に応じて結ばれる[⑪　　　　　　　]
※生産手段(土地や工場など)の所有にかかわる，人々の社会的な関係
(例)封建社会…領主と農奴，資本主義社会…資本家と労働者
→[⑪]が歴史を動かす([⑫　　　　　　　])
※[⑩]と[⑪]の矛盾の結果，[⑬　　　　　　　]が激しくなり，[⑪]の変革([⑭　　　　　　　])へ(資本主義から[⑧]へ移行する)

正誤問題　次の文が正しい場合には○，誤っている場合には×を〔　〕に記入しなさい。

1．功利主義は，個人の幸福の最大化を目的とする利己主義と考え方は同じである。〔　　　〕
2．義務論は，結果にかかわりなく守るべき義務に合致する行為を正しいとする考え方に立つ。〔　　　〕

Work　以下の二つの考え方を帰結主義と義務論に分類しなさい。

①　医師の使命とは救命である。この義務に従って考えるのならば，すべての人を等しく治療すべきである。
②　1人を助けるために9人を犠牲にすることは，最大多数の最大幸福から考えて間違った選択である。まずはその9人を治療すべきである。

帰結主義　〔　　　〕　**義務論**　〔　　　〕

Check! 資料読解　教科書p.36「快楽と苦痛」　快楽と苦痛が人間を支配しているとは，具体的には，どういうことをさしているのだろうか。

TRY!　1 個人と社会の利益をどのように調和させるべきか，次の文章の空欄に当てはまる語句を記入し，ベンサムとミルの考え方を比較してみよう。

ベンサムは，社会の幸福，すなわち[ア　　　　　　　　　　]を実現することで，個人と社会の利益の調和をはかろうとした。

ミルは，快楽の量だけを問題にしたベンサムの[イ　　　　　　　　　　]を受けつぎながらも，快楽の質も問題にした[ウ　　　　　　　　　　]の立場から，個人と社会の利益の調和をはかろうとした。

2 社会主義から何を学ぶことができるか，考えてみよう。

6 主体性の確立

教科書　p.38～39

▶主体性の追求―実存主義―

・近代以降の社会の進展により，人間の主体性が失われる

→人間の個別性を重視，主体性を追求…〔①　　　　　　　〕

※「現実の存在」(「この私」のような個別的な存在)…〔②　　　　　〕

〉〉〉キルケゴール
デンマークの思想家。いまここに生きる，この私にとっての「主体的真理」を求め，「主体性こそ真理である」と唱えた。

【キルケゴール】

・神から離れ，自己を見失う＝〔③　　　　　〕(死に至る病)

・実存の三段階

…**美的実存**(快楽を「あれも，これも」求めるが，自分を見失い，〔③〕)

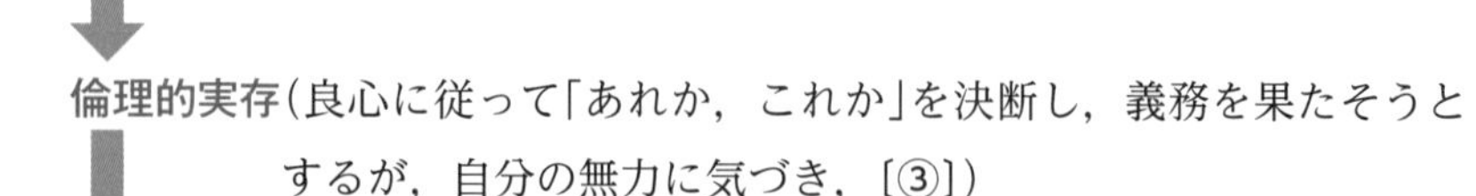

倫理的実存(良心に従って「あれか，これか」を決断し，義務を果たそうとするが，自分の無力に気づき，〔③〕)

宗教的実存(〔③〕を経て，最後は〔④　　　　　　〕として神の前に立ち，信仰によって生きることで，〔③〕から解放)

※神を信じることで，主体的に生きることができる

【ニーチェ】

・伝統的な，最高の価値の喪失(**神の死**)→道徳の喪失(**善悪の彼岸**)，人生の意味・目的の喪失

…〔⑤　　　　　　　　〕の時代

・〔⑤〕の時代における理想…〔⑥　　　　　〕

→〔⑦　　　　　　　　〕に基づき価値を創造する

〉〉〉〔⑦〕
より強大になろうとする意志のこと。自己を乗りこえ，成長しようとする生命力のことであり，あらゆる生命の本質である。(→教 p.38❷)

※意味も目的もなく反復する〔⑧　　　　　　　〕の世界にあって，自分の運命を受け入れ，主体的に生きる(**運命愛**)

【ヤスパース】

・死・苦しみ・争い・罪…人間が乗りこえられない〔⑨　　　　　　　〕

→自己の有限性，有限な自己を支える**包括者**(**超越者**)の存在に気づく

→お互いを実存として承認することで(〔⑩　　　　　　　　　〕)，本来の自己に

【ハイデガー】

・人間という存在

…自分が存在することを理解している〔⑪　　　　　　〕(ダーザイン)

世界に投げ込まれ，世界に規定された**世界・内・存在**

死を避けられない〔⑫　　　　　　　〕

→死への不安から逃れるため，世界に埋没し，誰でもない〔⑬　　　　　　〕として生きる

→死と向きあい，自己の個別性を自覚することで，本来の自己に立ち返る

【サルトル】

・人間以外の物(道具など)

…何かの目的のための手段として存在する(本質が実存に先立つ)

・人間
…まず現実に存在し，そのうえで自己のあり方を自由に選択する(〔⑭ 〕)
・人間はまったく自由である
＝自由から逃れられない(「〔⑮ 〕に処せられている」)
・自由を生きること
＝社会に参加(〔⑯ 〕)し，責任を負う

正誤問題 **次の文が正しい場合には○，誤っている場合には×を〔 〕に記入しなさい。**

1．キルケゴールは，人間を創ったのは神であるが，伝統的な価値が失われることで人間は神から離れるとし，それを「神の死」であると主張した。〔 〕

2．サルトルは，現代社会において人間は自由から逃れられないことをさして「自由の刑」と呼んだ。〔 〕

Work **ハイデガーの思想の記述として最も適当なものを，次の①～④のうちから一つ選べ。**

① 人間は，誰もが自分の死を引き受けねばならず，死の自覚を介して，はじめて本来的な自己の在り方を獲得することができる。

② 人間は，有限な自己が包括者からの賜物であることを自覚しつつ，互いを実存として承認する実存的交わりによって，本来の自己になることができる。

③ 人間は，単独者として神の前に立つことによって，神への信仰へと飛躍し，真の自己を回復することができる。

④ 人間は，不断に自己自身を超克しようとする意志によって，新たな価値を創造し，ニヒリズムを克服することができる。 〈2012年センター試験倫理本試改〉

Check! 資料読解 **教科書p.39「実存は本質に先立つ」 サルトルは，人間は最初は何ものでもなく，自らが作ったところのものになると主張したが，それについてどう考えるか。**

TRY! **主体性をどのように確立すべきか，次の文章の空欄に当てはまる語句を記入し，実存主義の考え方をまとめてみよう。**

・キルケゴール：〔**ア** 〕として神の前に立ち，信仰によって生きる。
・ニーチェ：〔**イ** 〕に基づいて価値を創造し，意味も目的もなく反復する〔**ウ** 〕の世界にあって，自分の運命を受け入れる超人として生きる。
・ヤスパース：有限な自己を支える〔**エ** 〕の存在に気づき，お互いを実存として承認する。
・ハイデガー：〔**オ** 〕である人間が死と向きあい，自己の個別性を自覚する。
・サルトル：自由を生き，社会に参加(〔**カ** 〕)し，社会に対して責任を負う。

7・8 他者の尊重／公正な社会

教科書　p.40～43

▶他者の重視／公共性の確立

【レヴィ=ストロース】
・人間の思考や行動は普遍的な構造により決定される…〔①　　　　　〕
　→人間は自由な主体ではない
・未開社会の〔②　　　　　〕
　…動物や植物といった身近なものを用いて世界について考える
　※構造によって決定されており，文明社会の科学的な思考に劣らない

【フーコー】
・近代社会…〔③　　　　　〕に反する犯罪や狂気などを隔離
　　　　　　学校などを通じ，社会の規律に従う人間を作り上げる
　→近代的な〔④　　　　　〕…訓練された従順な存在
　　　　　　　　　　互いに監視しあい，社会の〔⑤　　　　　〕を支える

【レヴィナス】
・他者…自己の理解をこえた，他なるもの(〔⑥　　　　　〕)
　　　〔⑦　　　　　〕として自己に迫る
　→他者に応答すること，他者に対する責任を果たすこと＝倫理的な生き方

【ハーバーマス】
・近代…人間が対等な立場で議論する〔⑧　　　　　〕が生まれる
　→国家による人間の管理により喪失
　政治・経済制度が日常生活を支配＝〔⑨　　　　　〕
・本来の理性…対話によって人々を合意に導く
　＝〔⑩　　　　　〕
・〔⑩〕に基づく討議による合意の形成
　＝〔⑪　　　　　〕
　→公共性を確立，日常生活を守る

【アーレント】
・人間の生活…〔⑫　　　　　〕(生存のために必要)
　　　　　　　〔⑬　　　　　〕(道具や作品を作る)
　　　　　　　〔⑭　　　　　〕(他者とともに共同体を営む)
・近代…〔⑫〕・〔⑬〕の優位→〔⑭〕を重んじ，公共性を確立する必要

▶正義の原理―ロールズ―

・正しい分配のあり方を考える〔⑮　　　　　〕を提唱
・公正な分配を実現する〔⑯　　　　　〕
　※人々が，自分の境遇などを知り得ない〔⑰　　　　　〕(無知のヴェール)において，合意する原理
　…(1)　すべての人が自由を等しくもつ(平等な自由の原理)
　　(2)　①恵まれない人々の境遇の改善につながる(格差原理)
　　　　②すべての人に機会が等しく与えられる(公正な機会均等の原理)
　　　　→社会生活に必要なもの(自由・機会・所得など)が公正に分配

〉〉〉〔⑭〕
人間が言葉をかわして公共性を築くことであり，人間にとって本質的なものであるとアーレントは考えた。(→教p.41)

〉〉〉ロールズ
幸福をどのように分配するかを考えていないとして，功利主義を批判。また，ロールズによれば，公正としての正義は，(帰結主義のように)最大の善を生みだすものが正しいとは考えないという意味で，義務論の一つである。(→教p.42❶)

▶自由主義と共同体主義／能力の平等─セン─

自由主義			共同体主義
リベラリズム		リバタリアニズム	コミュニタリアニズム
自由を重視するが，平等にも配慮		自由を最大限に尊重	・共同体やその伝統を重視 ・〔⑱　　　　　　〕の実現
ロールズ	セン	ノージック	サンデル
不平等是正のため，所得再分配を主張	機能をあわせた 〔⑲　　　　　　〕 において平等であることを主張	ロールズの考えは個人の自由を侵害するとして批判	・ロールズの考える個人は社会から孤立した存在 ・個人は社会のうちに位置づけられた存在

※機能…社会生活に必要なものを用いて達成される状態や活動
（例）健康である，社会に参加する

正誤問題　次の文が正しい場合には○，誤っている場合には×を〔　〕に記入しなさい。

1．ロールズは，功利主義について，「幸福をどのように分配するかを考えていない」として，批判した。〔　　　〕

2．センは，人間が社会で生活するのに必要なものを公正に分配することが，福祉の最大の目的だと主張した。〔　　　〕

Check! 資料読解　**1 教科書p.41「市民的公共性」　ハーバーマスによれば，市民的公共性は国家の公共性に対抗して形成される。では，そうした市民的公共性には，どのような働きがあると考えられるだろうか。**

2 教科書p.43「正義の原理」　平等な自由の原理（第一原理），格差原理（第二原理a），公正な機会均等の原理（第二原理b）が対立する場合には，どれを優先すべきだろうか。

TRY!　**どのような社会が公正な社会といえるのか，次の文章の空欄に当てはまる語句を記入し，ロールズとセンの考え方をまとめてみよう。**

・ロールズ：〔ア　　　　　〕の原理によって，すべての人が自由を等しくもち，機会が等しく与えられるとともに，不平等を是正するため国家が所得を再分配する社会。

・セン：人々の〔イ　　　　　　　〕を拡大することを福祉の目的とする社会。

章末問題　第1編第2章　人間としてよく生きる

教科書　p.20〜49

Check ✓ 重要用語

1. ギリシアの思想

❶ソクラテスの哲学の出発点で，自分が善や正の意味について無知であることを自覚すること。	❶
❷ソクラテスが主張した，人が善や正を真に知ることによって魂の優れたあり方が実現すること。	❷
❸プラトンが主張した，理性によってとらえられる物事の真の姿。	❸
❹魂がかつていたイデアの世界を想い起こし，これにあこがれること。	❹
❺プラトンの理想主義を批判し，現実の事物に本質(形相)は含まれているとして現実主義的な哲学を展開した人物。	❺
❻勇気，節制，正義など，よい行為の反復によって得られる徳。	❻
❼人々の間に公平が実現するという狭義の正義。	❼

2. 宗教の教え

❽ユダヤ教における唯一絶対の神。	❽
❾全能で父のように慈愛に満ちた神が，惜しみなくすべての者に無差別に与える愛のこと。	❾
❿キリスト教における，人間がもっている根源的な罪のこと。	❿
⓫イスラームにおける最大にして最後の預言者。	⓫
⓬アッラーの啓示(神の言葉)を記したイスラームの啓典。	⓬
⓭ブッダが悟った真理。あらゆるものは互いに依存しあって生起しており，それ自体で孤立して存在するものはないということ。	⓭
⓮すべてのものは，生成・消滅し，絶えず移りかわるという教え。	⓮
⓯孔子が説いた，近親者に対する自然な情愛。	⓯

3. 人間の尊重

⓰ルネサンスの人文主義者たちが理想と考えた，あらゆる分野で能力を発揮することのできる人間。	⓰
⓱自分の生き方を選ぶ自由な意志のうちに，人間の尊厳があると唱えた人物。	⓱
⓲天動説を否定し，地動説を唱えた人物。	⓲
⓳人間の認識において，経験を重視する経験論の立場をとったイギリスの思想家。イドラ論，帰納法。主著に『ノヴム-オルガヌム』。	⓳
⓴疑い得ない真理から出発し，理性の推論で新たな知識を得ていこうとする合理論の立場をとったフランスの哲学者。演繹法。	⓴

4. 人間の自由と尊厳

㉑意志の自由をもち，自律した道徳的主体としての人間を人格と呼び，人格として人間は尊厳をもつことを主張したドイツの哲学者。	㉑
㉒道徳法則に用いられる「〜せよ」という無条件の命令。	㉒
㉓㉑がいう，自律的な存在としての人間。	㉓
㉔人間にとっての自由とは，家族・市民社会・国家という人倫の3段階を経て現実社会のなかで実現されていくとしたドイツの哲学者。	㉔

5. 個人と社会

㉕あらゆる人は幸福(快楽)を求め，不幸(苦痛)を避けるという考え方に基づいて，最大多数の最大幸福の実現をめざす立場。	㉕
㉖㉕の祖で，最大多数の最大幸福を実現することで，私益と公益の調和をはかろうとしたイギリスの法学者・哲学者。	㉖
㉗人間は，肉体的な快楽だけでなく，より質の高い精神的な快楽も求めるとして，快楽の質も問題にしたミルの立場。	㉗
㉘『資本論』で資本主義を分析，批判し，唯物史観を説いたドイツの哲学者。	㉘
㉙人間が生みだしたものが，人間にとってよそよそしいものになり，さらに，人間を支配するようになること。	㉙

6. 主体性の確立

㉚人間の個別性を重視することで，主体性を追求する立場。	㉚
㉛キルケゴールが説いた，絶望を経て，神の前に立つ人間をさす言葉。	㉛
㉜ニーチェが説いた，意味も目的もなく無限に反復する永遠回帰の世界にあって，自分の運命を受け入れ，主体的に生きること。	㉜
㉝ヤスパースが説いた，死・苦しみ・罪など，おのれの力では乗りこえられない人間の壁をさす言葉。	㉝
㉞ハイデガーが説いた，死の不安から逃れるために，世界に埋没し，誰でもない人間のあり方。	㉞
㉟「実存は本質に先立つ」と実存主義を説いたフランスの哲学者・文学者。	㉟

7. 他者の尊重

㊱人間の思考や行動を根底で規定している普遍的な構造を明らかにすることで，人間の主体性を絶対視する近代の考え方を批判する立場。	㊱
㊲レヴィ=ストロースが説いた，文明社会の科学的な思考とは異なる，動物や植物などの身近なものを用いて世界について考える方法。	㊲
㊳人間を主体とする考え方を近代の産物とみなし，犯罪や狂気を異質なものとして隔離してきた，理性中心主義を批判したフランスの哲学者。	㊳
㊴自己は，他者とかかわることによってはじめて成立すると説き，他者を中心とする倫理を唱えたフランスの哲学者。	㊴
㊵ハーバーマスが説いた，対話のなかで人々を合意に導く働きをもった理性。	㊵
㊶アーレントが説いた，人間の生活のうち，他者と言葉をかわして公共性を築くこと。	㊶

8. 公正な社会

㊷ロールズが提唱した，正しい分配のあり方を考える正義。	㊷
㊸自由を最も重視するが，ロールズのように，平等にも配慮する立場。	㊸
㊹ノージックのように，自由を最大限に尊重する立場。	㊹
㊺サンデルのように，個人を社会的な存在として考え，共同体やその伝統を重視する立場。	㊺
㊻センが唱えた，健康である，社会に参加するなど，人間が社会で生活するのに必要な財を用いて達成できる状態や活動をさす言葉。	㊻

演習問題

1 次の会話は，大学で「愛」をテーマにした模擬講義に参加したケンとミキがかわしたものである。以下の問いに答えよ。

ケン：「ⓐ愛」ってなんだか，簡単には語れないものであるような気がするよ。

ミキ：形として目には見えないけれど，確かに感じられるものだよね。人に対して注がれる愛にしても，恋愛だけではなく，子どもや家族への愛などいろいろなものがあるよね。

ケン：宗教の教えでもしばしば説かれているように，愛は人間にとって身近な感情であり，責任をともなった大切なものだといえるよね。

ミキ：じゃあ，そもそもの話になるけれど，なぜ人は人を愛するのかな。

ケン：誰でも愛されたら幸せだと思うし，愛されなかったら不幸せだと思うよ。

ミキ：そう考えると，愛とⓑ幸福には関係があるのかもしれないね。

問1　下線部ⓐと関連して，下の(1)・(2)に答えよ。

(1)　愛について述べた文章として最も適当なものを，次の①～④のうちから一つ選べ。

①　イエスは，罪人に対してではなく，律法を厳格に守ることができる者にだけ，神の愛が注がれると説いた。

②　孔子は，近親者に対する自然な情愛である仁を重んじ，利己心を抑える忠などの，仁を実践する心構えを説いた。

③　アリストテレスは，倫理的徳のなかでも正義と友愛を重んじ，共同体を生きるうえで欠かせないものであると説いた。

④　ブッダは，苦の原因は他人や他人の持ち物に執着する心や煩悩にあり，これらを引き起こす渇愛であると説いた。

(2)　ミキは，愛することについて述べた次の資料Ａ・Ｂを紹介した。プラトンやキルケゴールの思想を踏まえて，資料から読み取れる内容として最も適当なものを，下の①～④のうちから一つ選べ。

資料Ａ　プラトン『饗宴』より

……知は最も美しいものの一つであり，しかも，エロスは美しいものへの恋なのです。だからエロスは，必然的に知を愛するものであり，知を愛する者であるゆえに，必然的に知ある者と無知なる者との中間にある者なのです。

資料Ｂ　キルケゴール『愛のわざ』より

……神を愛するということは，ほんとうに自己自身を愛するということであり，ある人が神を愛するようにその人の助けになるということが，その人を愛するということであり，自分が神を愛するように他の人から援助されるということが，愛せられるということである……。

① 人間の魂は不完全である現実世界にとどまり続けているため，イデアにあこがれると説いたプラトンは，資料Aによると，無知であることを自覚することに価値があると考えた。
② 人間の魂はものごとの真の姿であるイデアの世界を想い起こし，イデアにあこがれると説いたプラトンは，資料Aによると，美しいものへと向かう知的で純粋な愛に価値があると考えた。
③ 人間が神から離れて自分を見失い，絶望することは死に至る病であると説いたキルケゴールは，資料Bによると，自己自身の運命を愛し，主体的に生きることに価値があると考えた。
④ 人間が神から離れて自分を見失う絶望から，超越者として神の前に立つことで解放されると説いたキルケゴールは，資料Bによると，愛は人と神との関係であることに価値があると考えた。

問2　下線部ⓑと関連して，ケンは，幸福について述べた次の資料C・Dを見つけた。資料から読み取れる内容として最も適当なものを，下の①～④のうちから一つ選べ。

資料C　セネカ『幸福な人生について』より
「快楽は低俗で卑しく，弱くて壊れやすい。……最高の善は不死であって，滅びることを知らないし，満足することも後悔することもない。……しかし，快楽は最高の喜びに達すると消えてしまう。それは広い場所をもっていないから，たちまちそこを満たすと，嫌気がさし，最初の情欲がおこった直後にしぼんでしまう。」「理性は自然を尊重し，自然から助言を求める。それゆえ，幸福に生きるということは，とりもなおさず自然に従って生きることである。」

資料D　エピクロス『メノイケウス宛の手紙』より
「われわれは，快楽とは祝福ある生の始めであり終わりである，と言う。というのは，われわれは，快楽を，第一の生まれながらの善と認めるのであり，快楽を出発点として，われわれは，すべての選択と忌避を始め，また，この感情を規準として，すべての善を判断することによって，快楽へと立ち帰るからである。」

① 理性の支配する世界である自然に従って生きる，禁欲主義を説いたセネカは，資料Cによると，情欲を抑制して生きることのうちに幸福があると考えた。
② 人間は本性上快楽を追求する存在であるという，実存主義を説いたセネカは，資料Cによると，情欲を抑制して自然界の法則に従って生きることのうちに幸福があると考えた。
③ 人間の個別性を重視して主体性を追求する，快楽主義を説いたエピクロスは，資料Dによると，快楽は善であり，快楽のうちに幸福があると考えた。
④ 人間らしく生きることこそが人間の尊厳であるとする，人文主義を説いたエピクロスは，資料Dによると，快楽の感情を避けることのうちに幸福があると考えた。

2 近代以降の社会のあり方に関して，ケンとミキがかわした次の会話を読み，以下の問いに答えよ。

ケン：近代は，理性をもった自由な人間が社会の主人公になった時代といっていいのかな。

ミキ：そういえるんじゃないかな。文芸の復興や科学の進歩によって，ⓐキリスト教とは異なる世界観が唱えられるようになったのもこの時代だったよ。

ケン：近代には新たな世界観のみならず，ⓑ新たな倫理観も生まれているよ。ⓒ個人と社会の関係についても，多くの思想が生まれたんだ。

ミキ：私たちが生きている現代は，近代に生まれた資本主義や民主主義，そして科学を重視しているから，おおむねその延長線上にあるんじゃないかな。

ケン：ただ，現代になると，近代の考え方に対する反省から，ⓓ他者の尊重を唱える思想もあらわれたんだ。人間中心主義の行きついた先が，二度の世界大戦や地球規模の環境破壊だったわけだからね。

問1　下線部ⓐと関連して，次の文章は近代の新しい学問のあり方を唱えた思想家の文章である。波線部に示されるこの文章の著者の考え方をア・イから，主張したことをX・Yからそれぞれ選ぶとき，組合せとして最も適当なものを，下の①～④のうちから一つ選べ。

> 両者いずれの道も，感覚および個々的なものから発して，最も普遍的なもので静止する，しかし或(あ)る莫大な距(へだた)りがあるのである。なぜならば，一方は単に経験と個的なものに，行きずりに触れるにすぎないのに，他方はそれらに正当に順序立てて取り組む。さらに一方はすでにはじめから，何か抽象的で役に立たない普遍的なものを構成するが，他方は真に自然に関してより明らかなものに向って，漸次的に上昇してゆくからである。

考え方

ア　合理論　　イ　経験論

主張

X　個々の具体的な事実に対して観察や実験をおこない，一般的法則・原理を見出すことを主張した。

Y　絶対確実な一般的法則・原理を前提として，理性による推理をおこない，結論を導くことを主張した。

①　ア―X　　②　ア―Y

③　イ―X　　④　イ―Y

問2　下線部ⓑと関連して，ケンとミキは，愛することについて述べた次の資料Ａ・Ｂを見つけた。下の資料Ａ・Ｂと会話を読み，(1)・(2)に答えよ。

資料Ａ　ベンサム『道徳および立法の諸原理序説』

快楽はそれ自体で善であり，苦痛からの免除を別にすれば，唯一の善である。また，苦痛はそれ自体で悪であり，じつのところ，例外なく，唯一の悪である。それ以外には，善や悪という語は意味をもちえない。そして，このことは，あらゆる種類の快楽と苦痛に等しく当てはまる。それゆえ，直ちに，そして，明らかに言えるのは，いかなる種類の［ａ］も，それ自体として悪いようなものではない，ということである。……［ａ］が善や悪であるとすれば，それはただ，その［ｂ］のためである。つまり，［ａ］が善であるのは，快楽を生み出し，苦痛を避けるという傾向のためであり，悪であるのは，苦痛を生み出し，快楽を避けるという傾向のためである。

資料Ｂ　カント『人倫の形而上学の基礎づけ』

この世界において，いや，およそこの世界の外でも，無制限に善とみなすことができるものは，善意志のほかには考えられない。理解力，機知，判断力，その他，精神の才能と呼ばれるようなもの，あるいは，気質の特性としての，勇気，決然さ，志の強さは，疑いなく多くの点で善であり，望ましい。しかし，これらの自然の賜物を用いるべき……意志が善でない場合は，きわめて悪になり，有害になりうる。……善意志は，それが引き起こしたり成し遂げたりするものによってではなく，また，それが何らある定められた［ｃ］の達成に役立つことによってでもなく，ただ意志することによって，すなわち，それ自体で善なのである。

ケン：資料Aのベンサムと資料Bのカントの善悪についての考え方は，どのような違いがあるのかな。

ミキ：資料Aのベンサムは，［ａ］が善や悪になるのは，快楽を生み出し，苦痛を避けるという［ｂ］のためである，といっているね。

ケン：ベンサムは社会の幸福を［ｃ］とし，善い［ｂ］を生み出す行為を正しい行為と考えたんだね。

ミキ：カントがいう「ただ意志することによって…それ自体で善なのである」とはどういう意味かな。

ケン：行為の［ｂ］や，何かの［ｃ］によらず，ただ［ａ］となる意志それ自体で善であるということだと思うよ。たとえば「　Ｚ　」のように，［ｃ］のための手段としてではなく，善意志に基づいて行為することこそ道徳的なんだ。

ミキ：つまりカントは，［ｂ］にかかわらず，どんな場合でも人間としてなすべき［ｄ］を［ｄ］としておこなうことを求めたんだね。

(1)　資料および会話文中の［ａ］～［ｄ］に入る語句の組合せとして最も適当なものを，下の①～⑥のうちから一つ選べ。

	a	b	c	d
①	行為	結果	目的	義務
②	行為	動機	義務	目的
③	結果	動機	目的	義務
④	結果	動機	義務	目的
⑤	動機	結果	目的	義務
⑥	動機	結果	義務	目的

［　　］

⑵ **会話文中の「Z」に当てはまる記述として最も適当なものを，下の①～④のうちから一つ選べ。**

① 親に怒られたくないと考えて，毎日家の手伝いや宿題を一生懸命やった

② 友達に好かれたいと考えて，友達にはどんな場合でも優しくしてあげた

③ みんなの幸せを最優先に考えて，決められたルールに従った

④ 雇っている従業員の能力向上を考えて，会社の研修制度を整えた

問3 下線部ⓒと関連して，次のレポートは，ケンがまとめたものの一部である。レポート中の a ・ b に入る記述を，下のア～オから選び，その組合せとして最も適当なものを，下の①～⑥のうちから一つ選べ。

レポート

近代には，個人と社会の関係についてさまざまな思想が生まれている。たとえばヘーゲルは， a と考えた。精神の自由の理念は，具体的な社会生活において，いきいきと実現されなければならないのである。一方，マルクスは b と考えた。個人は孤立した存在ではなく，生産物のなかに自らを客体化しながら自らと向きあい，社会的関係のなかで他の人間と結びつきながら生活していく存在なのである。

ア 利己心に基づく個人の行動は，共感の原理によって調整され，社会全体の幸福につながる

イ 家族と市民社会を統一した，人倫の最高形態である国家に従うことによって，個人は自由になる

ウ 人間は，自分の生き方を選ぶ自由な意志をもっており，その自由な意志のうちに人間の尊厳がある

エ 個人は利己的な存在ではなく，他者への同情心，利他心をもち，社会全体の普遍的な幸福を追求する

オ 生産物や労働から疎外された労働者の人間性を回復するために，社会そのものを変革する

① a―ア b―エ

② a―ア b―オ

③ a―イ b―エ

④ a―イ b―オ

⑤ a―ウ b―エ

⑥ a―ウ b―オ

問4　下線部ⓓと関連して，ミキは次のようなレポートを作成した。レポート中の［a］～［c］には，次のア～カのいずれかの記述がそれぞれ入る。［a］～［c］に入る記述の組合せとして最も適当なものを，下の①～⑧のうちから一つ選べ。

レポート
　サルトルが「実存は本質に先立つ」と述べたように，近代では，人間の主体性を絶対視し，自己を重視する考え方が主流であった。しかし，現代になると，近代の考え方に対する反省から，他者を重視する思想があらわれた。レヴィ=ストロースは，未開社会の研究を通じて，人間の思考や行動は普遍的な構造によって決定されており，人間は自由な主体ではないと考えた。構造とは，さまざまな要素が関係しあう体系のことで，そうした体系は，人間の思考や行動，文化や歴史の深層において普遍的に存在し，それらを決定している。それについて，［a］。つまり，こうした無意識的な構造は，主体的な人間によって支えられているのである。一方，［b］。つまり，自己の理解を無限にこえた他者にかかわることで，自己中心的な全体性の立場から脱することができるのである。そうした他者とともに公共性を確立することも，現代社会の課題である。それについて，［c］。しかし，人間は対話によって合意を形成する対話的理性があるとも言っている。この対話的理性に基づいて，対等な立場で自由に討議して合意に至ることによって，公共性を確立することができるのである。自己は自己のみでは生きられず，他者とともにあってこそ，生きられるのではないだろうか。

ア　フロイトは，人間の心の深層には，意識的努力では気づくことができない無意識の領域があり，それが人間の行動に影響を及ぼしているとした

イ　レヴィナスは，自分と同じものではない，他なるものの顔に応答し，責任を果たすことこそが，人間の倫理的な生き方であるとした

ウ　アーレントは，人間の生活には，生存のために必要な労働，道具や作品を作る仕事，他者とともに共同体を営む活動があるとした

エ　フーコーは，理性をよりどころとする近代社会の権力は，犯罪や狂気を隔離し，規律に服従する主体を生みだしているとした

オ　ハイデガーは，世界に投げ込まれ，世界に規定された人間は，死と向きあうことで，自己の有限性を知り，本来の自己に立ち返るとした

カ　ハーバーマスは，現代社会では，市民的公共性が次第に失われ，政治制度や経済制度が人間の日常生活を支配するようになっているとした

	a	b	c
①	ア	イ	ウ
②	ア	イ	カ
③	ア	オ	ウ
④	ア	オ	カ
⑤	エ	イ	ウ
⑥	エ	イ	カ
⑦	エ	オ	ウ
⑧	エ	オ	カ

1・2 人間の尊厳と平等／自由・権利と責任・義務　教科書 p.52～55

▶人間の尊厳

・あらゆる人間には尊厳がある，とする考え方
…〔①　　　　　　　　〕　※近代のピコやカントなど
・現代の〔①〕…すべての人間，あらゆる生命を尊重する
・〔②　　　　　　〕
…あらゆる生物に対する不殺生(アヒンサー)，非暴力・不服従という仕方で抵抗すること(〔③　　　　　　〕)を説いた
・〔④　　　　　　〕
…社会的に弱い立場にある人々の救済に尽力した
・〔⑤　　　　　　〕
…すべての生命を自分の同胞として敬う「〔⑥　　　　　　〕」に基づく新たな倫理を唱えた

▶人間の平等

・あらゆる人間は平等である
…現代では，人種，民族，宗教，階級，性別，能力などの違いにかかわりなく，「すべての者を等しく扱う」こと＝それぞれの個性や多様な考え方・生き方を等しく尊重すること

▶差別と偏見の是正をめざして

・人間の尊厳と平等を確立し，個人を尊重すること
…人間が公共的な空間を形成して協働するために必要
→現代でもさまざまな差別が続く

【〔⑦　　　　　　〕に基づく男女差別】

・男女共同参画社会を実現するために，〔⑧　　　　　　〕を禁止
→〔⑨　　　　　　〕(割当制)などの積極的参画促進策(〔⑩　　　　　　〕)の実施

【〔⑪　　　　　　〕に見られる差別】

・根底には，他者に対する偏見
→人間の尊厳と平等を確立し，個人を尊重するためには，他者を受け入れる〔⑫　　　　〕の精神をもち，お互いを信頼することが必要

▶他者の自由・権利との調整

・社会が存在するのは，個人を尊重するため
→個人の自由や権利が常に無制限に認められるわけではない
※憲法第12条…自由や権利は「常に〔⑬　　　　　　〕のために」使用されなければならない

【公共の福祉】

・公共的な価値のために，個人の自由や権利が制限されてはならない
→自由や権利の行使に当たって，他者の人権との衝突を調整する必要
→自由を制限するのは他者の自由だけ

〉〉〉**形式的平等と実質的平等**
平等には，形式的平等と実質的平等の二つがある。形式的平等としては，機会を等しくするという機会の平等があり，実質的平等としては，結果を等しくするという結果の平等がある。真の平等の実現には，形式的な機会の平等だけでなく，実質的な結果の平等もめざすべきであると主張されることがある。(→教p.53)

〉〉〉〔⑦〕
生物学的な性(セックス)と異なり，「男らしさ」や「女らしさ」といった，社会や文化のなかで作られた性。
(例)「男は仕事，女は家庭」。(→教p.53❶)

〉〉〉〔⑧〕
職場での転勤を雇用や昇進の条件とするなど，中立的に見える規則や慣行が結果として差別を生みだしている状況。(→教p.53❷)

〉〉〉〔⑨〕
議会などでの女性の比率を定め，その実現を義務づける制度。(→教p.53❸)

〉〉〉〔⑩〕
実質的平等をめざすために，差別的な取り扱いを積極的に是正するための特別措置。アファーマティブ・アクションともいう。(→教p.53❹)

※ミルの〔⑭　　　　　　　　　〕

…他者に危害を与えない限り，個人の自由は制約されない

(例)表現の自由⇔プライバシーの権利

・主体的な判断による，自由や権利の行使

→〔⑮　　　　　〕や〔⑯　　　　　〕の発生

▶世代間倫理

・現在では，来るべき将来世代に対する責任が問われている(〔⑰　　　　　〕の問題)

(例)・地球環境を保全し，生活可能な空間を維持する

・財政問題，社会保障制度の負担を先送りしない

〉〉〉**憲法上の国民の義務**
子どもに教育を受けさせる義務(第26条)，勤労の義務(第27条)，納税の義務(第30条)(→圏p.54❷)

〉〉〉**〔⑰〕**
生まれてきていない世代は，自らの自由や権利を主張できず，先行する世代との間に約束をかわすことも不可能である。したがって，現役世代が自らの利益だけを考えるならば，将来世代の利益は損なわれる。

Work **男女共同参画社会を形成するための積極的差別是正措置(ポジティブ・アクション)に当たる取り組みとして適当なものを，次の①～⑤のうちからすべて選びなさい。**

① 企業の採用試験を，男女を区別することなく実施する。

② 女性雇用者の割合に一定の数値を設定することを義務づける。

③ 極端に女性社員が少なかったので，社員募集に当たって女性に有利となるように取り扱う。

④ 女性の労働者の負担を減らすために，昇進・昇格試験の受験を男性労働者のみに限定する。

⑤ 性別のみではなく，年齢に応じた業務の役割分担を設定する。

Check! 資料読解 **1教科書p.53「寛容」 ヴォルテールは，他者に対する寛容を人間に割り当てられたものと考えている。では，寛容が人間に割り当てられたのはなぜだろうか。次の文章の空欄に当てはまる語句を記入して，説明しなさい。**

私たち人間はすべて〔ア　　　　　　　　　〕からつくりあげられている。つまり，人間は弱いがゆえに，あやまちを犯しかねない存在である。そのため，〔イ　　　　　〕を互いに許しあう寛容が人間に割り当てられた。

2教科書p.55「他者危害原理」 次のX・Yは，ミルの他者危害原理の考えに即した意見である。その正誤の組合せとして正しいものを，下の①～④のうちから一つ選びなさい。

X ギャンブルをおこなうことは，依存症につながり，本人に不利益をもたらすため，止めるべきだ。

Y 他者に迷惑をかけていないならば，ギャンブルをおこなうことに対して，干渉すべきではない。

① X－正 Y－正 ② X－正 Y－誤

③ X－誤 Y－正 ④ X－誤 Y－誤

TRY! 教科書p.53 どのような場合に人間の尊厳や平等が問われるのか，考えてみよう。

民主社会の倫理

1 次の資料A・Bについて述べた会話文を読み，以下の問いに答えなさい。

先生：次の資料Aと資料Bは，日本における男女共同参画社会の現状に関するグラフです。

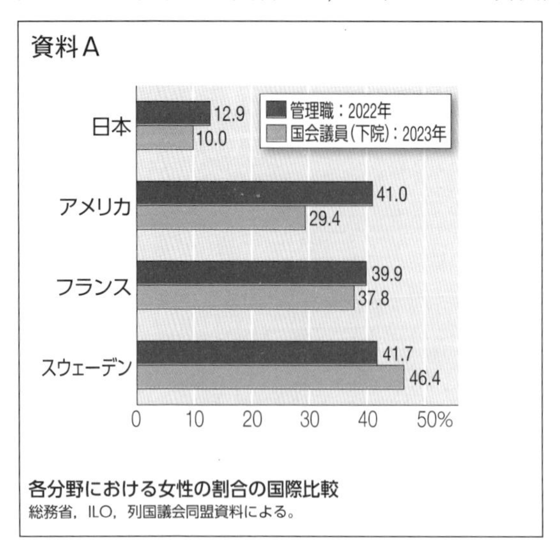

各分野における女性の割合の国際比較
総務省，ILO，列国議会同盟資料による。

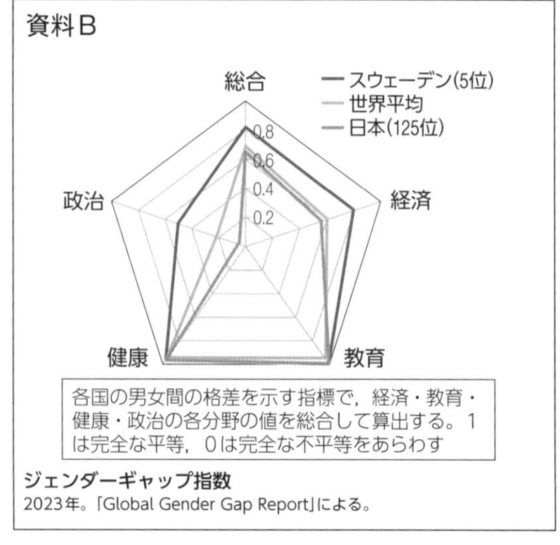

ジェンダーギャップ指数
2023年。「Global Gender Gap Report」による。

ミキ：男女共同参画社会の実現を妨げているものは何でしょうか。

ケン：日本では，育児と家事は女性がやるべきだ，という考えが，いまも根強いからだと思います。

先生：「男は仕事，女は育児と家事」のような考えに見られる，（　①　）のなかで作られた性をジェンダーといいます。日本における結婚相手の呼び名に，女性は「嫁」「奥さん」「家内」，男性は「旦那」「主人」などがありますが，これらもジェンダー平等の観点で問題があるという意見があるんだよ。

ミキ：人々の考えをかえるためにも，結婚したら，どのようにお互いを呼びあうのがよいでしょうか。

ケン：お互いの名前で呼びあうのがいいかもしれません。

先生：それも一つのやり方ですね。ところで，男女共同参画社会の実現を妨げているものは，ほかにもあります。たとえば，就職する機会は等しくあっても，転勤が雇用の条件になっていれば，「男は仕事，女は育児と家事」という考えが根強い日本では，結果として女性が不利になってしまいます。

ミキ：（　②　）差別のことですね。真の男女平等を実現するためには，機会の平等のような（　③　）的平等だけでなく，結果の平等のような（　④　）的平等をめざすべきだと思います。

ケン：（④）的平等を実現するためには，(a)どのような方策が望ましいか，考えてみましょう。

問1　資料Aから読み取れる，日本の特徴は何か。

問2　日本において女性の参画が遅れている分野はどこか，資料Bから読み取れることを述べなさい。

問3　文中の（　①　）～（　④　）に当てはまる語句を答えなさい。

①	②	③	④

問4　下線部(a)について，自分の考えを述べなさい。

2最後通牒ゲームについて，次の説明を読み，以下の問いに答えなさい。

最後通牒ゲーム

実験者は，Aに１万円を渡して，それをBと自由に分けるように言う。BはAの分け方が気に入らないときには，受け取りを拒否できるが，その場合，AもBもお金をもらえない。

問1　自分がAだとすれば，どのような分け方をするか。次の①～⑤のうちから一つ選びなさい。

① A：8000円　B：2000円
② A：6000円　B：4000円
③ A：5000円　B：5000円
④ A：4000円　B：6000円
⑤ A：2000円　B：8000円

問2　自分がBだとすれば，どのような分け方なら受け入れられるか。次の①～⑤のうちから当てはまるものを，すべて選びなさい。

① A：8000円　B：2000円
② A：6000円　B：4000円
③ A：5000円　B：5000円
④ A：4000円　B：6000円
⑤ A：2000円　B：8000円

問3　問1・問2のように答えた理由を，公正の観点から，それぞれ述べなさい。

【問１の理由】
【問２の理由】

1 人権保障の発展と民主政治の成立①

教科書　p.60〜63

▶政治とは何か

・政治…人間社会を運営していくために必要な政策を決定し，安定した秩序を作る活動やしくみ一般

・法…公共的な課題を実現するために作られる公的なルール

⇔社会秩序の形成には，意見の異なる人々の対立を権力によって抑える作用（［①　　　　］）がともなう

▶国家とは何か

・国家…一定の［②　　　　］を基盤に，そこに住む人々（［③　　　　］）のうえに，［④　　　　］の作用で社会秩序を作る公的な団体

・政府…国家の意思決定やその執行に当たる機関

・約200の主権国家…国家の主権だけでは社会秩序が保たれない

→EU（欧州連合）のような共同体も誕生

〉〉〉［④］
(1)人民と領土に対する国家の統治権，(2)対内的に最高で対外的に独立した権力，(3)国の政治を最終的に決定する権力，という三つの意味がある。（→教 p.61❶）

▶民主政治の発達

古代ギリシア（民主政治の誕生）

・ポリスにおいて，市民が民会に出席して，政治的決定をおこなった

→裁判に参加し，抽選によって公職に就いた

中世ヨーロッパ

・封建制…領主が土地と人民を支配

→人々は土地にしばりつけられ，隷属させられた

・封建領主の権力が一人の国王に集中＝［⑤　　　　］

→王の権力は神から与えられたもの＝［⑥　　　　］

・［⑦　　　　］…商工業の発展にともない勢力を強めた市民階級（ブルジョアジー）が［⑤］を打倒

（例）イギリスの［⑧　　　　］，名誉革命，

アメリカの［⑨　　　　］，フランス革命　など

〉〉〉［⑤］
絶対君主制とも呼ばれ，近代国家の形成や商工業の発展に一定の役割を果たした側面もあったが，一方では，強大な権力を一手に握る国王による絶対主義的な独裁政治（恣意的な逮捕・裁判や課税など）がおこなわれ，商工業を営む市民の自由な経済活動も制約された。

▶社会契約説

【社会契約の考え方】

・［⑩　　　　］…［⑪　　　　］を守るために，契約をかわして国家を作り，その支配に従うとする考え方

→［⑫　　　　］のために国家を設立したのであって，国家のために個人が存在するわけではない

〉〉〉自然法・［⑪］
人間の本性（自然）に根ざし，時代をこえて保障されるべき普遍的な法を自然法と呼ぶ。そのため，人の定める法（実定法）は自然法に違反することはできないとされた。自然法が保障する権利を［⑪］と呼ぶ。（→教 p.62❶）

［⑬　　　　］	人々の自己保存のための行動が互いに衝突し，闘争状態をもたらす（＝万人の万人に対する闘争） ↓ 戦争状態の悲惨から逃れるため，人々は契約によって国家を設立し，国家に自然権を譲渡 ＝国王権力への服従を説く

〔⑭　　　　　〕	自然状態における人間は自由で平等。生命・自由・財産を維持する権利(自然権)をもち，互いに平和共存 ↓ 自然権の維持をより確実にするため，人々は契約を結んで国家を作り，政府に自然権を信託(**間接民主制**) ⇔政府が自然権を侵害した場合，国民に〔⑮　　　〕や革命権が発生する
〔⑯　　　　　〕	人間は本来，自由で平等であったが，私有財産制によりその状態が保てなくなる ↓ 人々は契約を結んで社会を作り，自然権を社会に譲渡。かわりに人民は集合体の運営に参加する権利をもち，公共の利益を求める〔⑰　　　　　　〕に従う ＝人民主権に基づく**直接民主制**

正誤問題 次の文が正しい場合には○，誤っている場合には×を〔　〕に記入しなさい。

1．政治は国家だけでなく，国際社会や地域・企業・労働組合などの社会集団においても見ることができる。〔　　　〕

2．絶対王政の時期に，国王の権力は神から与えられたもので，これに服従すべきであるとした説を王権神授説という。〔　　　〕

Check! 資料読解 **教科書p.63❷「社会契約説の比較」 ホッブズ・ロック・ルソーのア：国家の目的に関する考え方とイ：政治制度に関する考え方に最も近いものを，下の①～⑥のうちからそれぞれ選びなさい。**

① 自然権の維持をより確実にするため。
② 人民主権に基づく直接民主制を主張した。
③ 闘争状態の悲惨さから逃れるため。
④ 結果的に国王権力への服従を説く。
⑤ 自由で平等な社会を作るため。
⑥ 間接民主制(代議制)を基礎づけた。

ホッブズ：ア［　　］イ［　　］　ロック：ア［　　］イ［　　］　ルソー：ア［　　］イ［　　］

TRY! **近代立憲主義の考え方に影響を与えている思想の説明として誤っているものを，次の①～③のうちから一つ選びなさい。**

① ロックは，人間は，生命・自由・財産に対する権利を国家から与えられている，とした。

② ルソーは，政府は人民の契約によって創設されるという考えに立ち，主権者である人民の「一般意志」を強調した。

③ ホッブズは，人間は，自然状態における「万人の万人に対する闘争」を避けるために契約を結んで国家を作る，とした。

(1997年センター試験現代社会本試より作成)

［　　］

1　人権保障の発展と民主政治の成立②

教科書　p.63～65

〉〉〉〔①〕と法治主義
中世イギリスの法観念に由来する〔①〕は，絶対君主の専制支配に対するコモン・ロー(普通法)の優位として確立し，個人の自由を擁護する原理となった。19世紀のドイツに確立された法治主義は「法律による行政」という形式を重視し，法律によれば個人の自由も制限可能であるという側面が見られた。(→教p.62❷)

▶法の支配と基本的人権の保障

〔①　　　　　　　〕
…権力は権力者の恣意的な意思によってではなく，適正な手続きやルールに基づいて行使されなければならないという考え方
→社会契約説の考え方を生みだす

【法の支配と歴史(イギリス)】

1215年	〔②　　　　　　　　　　　　〕制定(〔①〕の原型) …貴族や僧侶が，国王の課税権や逮捕権の制限などを認めさせたもの →王が貴族などの同意を得て政治をおこなう〔③　　　　　　〕

絶対王政期に恣意的な逮捕や裁判がおこなわれ，〔①〕の原理が動揺

17世紀はじめ	中世以来の〔③〕である〔④　　　　　　　　　　　〕(普通法)が王権をも拘束する …イギリスの法律家クック(コーク)の主張

【基本的人権の保障】

・**人権宣言**…「人間は生まれながらにして自由・平等であり，これらは国家や政府も侵すことができない」という考え方を理念とする宣言
→市民革命によって打ちだされた

〉〉〉〔⑤〕
アメリカの州で最も早く起草された憲法。自由権の保障など，その後の人権宣言の手本となった。

人権宣言の例…〔⑤　　　　　　　　　　　　〕，アメリカ独立宣言(1776年)，フランス人権宣言(1789年)

【人権の歴史的発展】

・近代的人権(**基本的人権**)…**自由権**中心(国家からの自由)
→アダム=スミスらの経済思想につながる
→自由放任(〔⑥　　　　　　　　　　　〕)の原則
→国家の役割を治安維持など最小限の機能に限定する制度(〔⑦　　　　　〕)を生む

【社会権の誕生】

・社会問題の発生(自由主義国家の弊害)
…失業や賃金・労働時間をめぐる資本家と労働者の対立，住宅難や公害など
↓
・ラッサール(社会主義者)などによる批判
…自由主義国家は市民の財産を守るだけの〔⑧　　　　　　　〕
→国家は労働者や社会的弱者の労働・生存・福祉を権利として認め保障すべき

・現代的人権…〔⑨　　　　　　　〕(国家による自由)
　＝労働基本権，生存権，教育を受ける権利など
　→〔⑩　　　　　　　　　　〕で確立
　→国家による経済活動への介入
　　…社会保障・福祉の充実など社会的平等をめざす
　　　＝〔⑪　　　　　〕国家(福祉国家)

›››人権の国際化
近代の国際法は国家と国家の間の約束であり，個人にまで効力は及ばないと考えられた。
↓
戦争やファシズムなどの個人に対する大規模な人権侵害が生じるようになるとともに，人権保障を国際的な共通原則と考える動きが強まり，国際人権規約などが生まれた。

▶立憲主義と民主主義の限界

・法の支配，基本的人権，国民主権，権力分立＝近代憲法の基本原理
　→こうしたルールで権力や国家をしばるために憲法が作られるという考え方
　　…〔⑫　　　　　　　〕
・個人の自由と民主政治との間には緊張関係
　→衝突を避けるためにも，〔⑫〕の果たす役割が重要

正誤問題　**次の文が正しい場合には○，誤っている場合は×を〔　〕に記入しなさい。**

1．自由権の保障を中心にし，その任務を国防や治安維持などに限っていた国家を夜警国家といい，政府による国民生活の安定と社会権の保障を目標とする国家が福祉国家である。　〔　　　〕
2．一般の国民だけでなく，国王でも法に従うべきであるという考え方が人の支配の考え方である。　〔　　　〕
3．憲法によって個人の行動を制限するための考え方を立憲主義という。　〔　　　〕

Check! 資料読解　**教科書p.64❸「アメリカ独立宣言」　アメリカ独立宣言で主張されている次のアとイの権利・原則と最も関連が深い日本国憲法の権利・原則を，下の①～④のうちからそれぞれ選びなさい。**

ア　「すべての人は平等に造られ，」
イ　「造物主によって一定の奪うことのできない権利を与えられ，そのなかには生命，自由および幸福の追求が含まれる。」

①　国民主権(第１条)
②　幸福追求権(第13条)
③　労働三権(第28条)
④　法の下の平等(第14条①)

ア［　　　］　イ［　　　］

TRY!　**政治とはどのような活動か，次の文章の空欄に「対立」「協働」「合意」という語句を記入して，説明しなさい。**

　私たちは社会の一員として生活しているが，社会のなかには〔ア　　　　　〕する意見や利害が存在する以上，公平・公正な調整が求められる。多様な人々の〔イ　　　　　〕によって，意見や利害を調整し，〔ウ　　　　　〕に至ることで，社会に必要な政策を決定し，安定した秩序を作る活動が政治である。

2 国民主権と民主政治の発展

教科書　p.66～72

〉〉〉**民主政治**
アメリカ第16代大統領リンカーンは1863年にゲティスバーグでおこなった演説で，民主政治のことを「人民の，人民による，人民のための政治」であると述べた。(→教p.66❷)

▶民主政治の発展

・［①　　　　　　　］…政治権力を国民の意思に基づいて組織・運用する制度→近代国家で採用

・**民主政治**…［①］と基本的人権の尊重に基づく政治

・［②　　　　　　］…政治に参加する権利で国民の基本的人権の一つ
→基本的人権をもち，主権者として政治に参加する人々(＝市民)

【参政権の拡大】

・初期の参政権…納税する男性のみ(制限選挙)

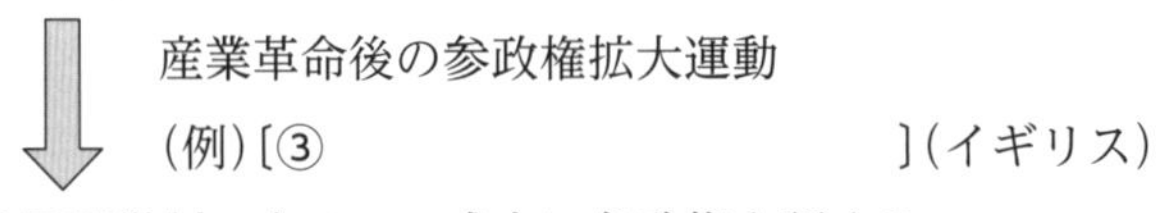

産業革命後の参政権拡大運動
(例)［③　　　　　　　　　　］(イギリス)

・**普通選挙制**…すべての成人に参政権を認める

▶議会制民主主義

・［④　　　　　　　　］…市民が直接参加して重要な決定(立法)をおこなう
↓
近代の国民国家は規模が大きく，［④］をおこないにくい

・［⑤　　　　　　　　］(間接民主制，代表民主制)
…代表を選出して議会を設け，議会を通じて主権を行使する

〉〉〉**現代民主政治の課題**
・**大衆民主主義**…政治への関心や見識をもたない人々(大衆)が選挙民の多数を占める傾向。
・**ポピュリズム**…問題を単純化することで，理性的な思考ではなく，情緒や感情によって人々を動かそうとする政治手法。

▶多数決原理と多元主義

・国民主権の原則…国民の総意に基づく政治

全員の意見の一致は難しい

・［⑥　　　　　　　］…多数者の意見を全体の意思とする

・多数者の意見が常に正しいとは限らない
・少数意見の無視や少数派の権利侵害の懸念
} **多数者の専制**

・現代の民主政治…社会に多様な利害が存在し，互いに異なる人々や集団が相互を尊重することが不可欠→［⑦　　　　　　　］の承認

〉〉〉**『法の精神』**
1748年に［⑧］があらわしたもの。そのなかで，国家権力を立法権・執行権(行政権)・司法権の三つに分ける三権分立制をはじめて提唱した。

▶権力分立

・国家権力が特定機関に集中すると，権力が濫用されやすい→**権力分立**の考え

・［⑧　　　　　　　　］(フランス)…国家の権力を立法権，行政権，司法権の三つに分けることを提案＝［⑨　　　　　　　］

▶議院内閣制　：【イギリスの政治制度】

・**議院内閣制**…内閣は国民の代表である議会(下院)の信任に基づいて成立

【首相の選出】

・民選の下院(庶民院)で多数を占める政党の党首が首相に選出

・非民選の上院(貴族院)に対し，予算の議決などで下院が優越

【国王の権力】

・［⑩　　　　　　　　］…国王は君臨するのみで統治権をもたない

【議会と内閣の関係】

・下院で内閣の不信任が議決された場合
…内閣は総辞職するか，議会を解散して国民の信を問わなければならない

【選挙と政党】

・政党が政権公約(〔⑪　　　　　　　　　　〕)を掲げて党中心の選挙運動をおこなう

{ 勝利した与党…内閣を構成
{ 敗北した野党…「〔⑫　　　　　　　　〕」を組織して次の選挙に備える

→〔⑬　　　　　　　　〕のもとで政権交代を繰り返す

▶大統領制　:【アメリカの政治制度】

【厳格な権力分立制】

・大統領は国民の選挙で選ばれる→強いリーダーシップをもつ

・大統領は議会が可決した法案に〔⑭　　　　　　〕を発動したり，議会に政策などを示す〔⑮　　　　　〕を送ったりすることができる

・裁判所は〔⑯　　　　　　　　〕を行使。議会や行政に対する強い抑制機能

・〔⑰　　　　　　〕がとられ，地方政府と中央政府の分立がはかられている

【ロシアやフランスの政治制度】

・〔⑱　　　　　　　　　〕…大統領と首相が並存する制度

【中国の政治制度】

・〔⑲　　　　　　　　　　　　〕…複数政党による選挙での競争や権力分立は認められず，共産党が一党独裁のもと，国家機関を統制している

〉〉〉アメリカ大統領選挙
大統領は，制度的には国民が大統領選挙人を選ぶ間接選挙で選出されるが，各州の大統領選挙人は州ごとの選挙民の判断に従って投票するので，実質的には，国民が直接選挙するのとかわらない。(→教p.71❶)

〉〉〉〔⑱〕
〔⑱〕のもとでは，大統領は国民の投票で選出され，行政権の一部を行使する。それと並んで首相が大統領によって国会議員(下院)から任命され，内閣が形成される。

〉〉〉〔⑲〕
〔⑲〕のもとでの立法機関は，国の最高機関である全国人民代表大会，行政府は国務院，司法機関は最高人民法院となっている。

Work　**多数決について，ミルは何を問題にしたのか，次の文章の空欄にあてはまる語句を答えなさい。**

ミルは民主主義において多数者が少数者を抑圧することを「〔①　　　　　　　　　　〕」と呼び，問題とした。民主政治は，多数者の意見を全体の意思とする〔②　　　　　　　　〕に基づいて運営されるが，多数者の意見が常に正しいとは限らない。参政権の拡大によって，一部のエリートだけではなく，政治に関する関心や見識をもたない人々が選挙民の多数を占める〔③　　　　　　　　　　〕の傾向が生じた。そのため，個人の自由が侵害される「〔①〕」の危険性が高まるとするミルは，少数意見の尊重の必要性を主張したのである。

Check! 資料読解　**教科書p.70❷「イギリスの議院内閣制」・p.71❹「アメリカの大統領制」　イギリスとアメリカのそれぞれの立法府と行政府の関係について，教科書p.70～71の本文も参考にして，次の文章の空欄に当てはまる語句を記入しなさい。**

イギリスでは，内閣は議会(下院)の〔ア　　　　　〕に基づいて成立し，〔 ア 〕を失えば，〔イ　　　　　　　〕を取って総辞職するか，議会を解散して，国民の意思を問わなければならない。

一方，アメリカでは，大統領は連邦議会への法案〔ウ　　　　　〕権や〔エ　　　　　〕送付権をもち，議会は大統領〔オ　　　　　　〕権をもっている。

TRY!　**民主主義の課題を「多数派」「少数派」「人権」という言葉を使って説明してみよう。**

章末問題　第1編第4章　民主国家における基本原理

教科書　p.58〜72

Check ✓ 重要用語

1．人権保障の発展と民主政治の成立	
❶絶対王政の時期に，王権は神から与えられたものと主張した説。	❶
❷市民階級が絶対王政を倒し，自ら権力をにぎった革命。	❷
❸生まれながらの自由や権利を確実なものにするために，互いに契約をかわして国家を作り，その支配に服従するという考え方。	❸
❹『統治二論』をあらわし，社会契約説の立場から，自然権を確実に保障するために，契約を結んで国家を作るとしたイギリスの思想家。	❹
❺政府が人民の自然権を侵害した場合に，人民に生ずる権利。	❺
❻13世紀イギリスで成立した，法の支配の原理の原型となった文書。	❻
❼権力者の思うままの政治(人の支配)を排し，すべての人々が従う普遍的なルールによって，政治をおこなおうとする原理。	❼
❽英米生まれの法の支配と異なり，ドイツで発展した，国家権力の行使は法律に基づかなければならないとする，形式重視の考え方。	❽
❾国家権力も侵すことのできない人間にとって最も基本的な権利。	❾
❿ワイマール憲法で確立された，生存権などの新しい人権。	❿
⓫政府が積極的に市民生活に介入し，社会的弱者の生存や福祉を保証する国家。	⓫
⓬近代民主政治の基本原理を記した憲法に従って，政治をおこなうべきとする考え方。	⓬

2．国民主権と民主政治の発展	
⓭基本的人権の尊重と国民主権などの原理に基づいておこなわれる政治。	⓭
⓮「人民の，人民による，人民のための政治」と，民主政治の特質を表現したアメリカ大統領。	⓮
⓯すべての成人に参政権を保障する選挙制度。	⓯
⓰古代ギリシアの都市国家のように，市民が直接投票し，決定をおこなう政治制度。	⓰
⓱国民のなかから代表を選んで議会を組織し，議会が意思決定をおこなうという形で，国民が間接的に主権を行使する政治制度。	⓱
⓲トックビルやミルによる，多数者の意見が常に正しいとは限らず，少数意見の無視や，少数者の権利の侵害につながってしまう状態のこと。	⓲
⓳政治権力を立法権・行政権・司法権に分け，それらの抑制と均衡によって権力の濫用を防ぐしくみ。	⓳
⓴内閣が国民の代表である議会の信任に基づいて成立する制度。	⓴
㉑イギリスなど二大政党制の国で，野党が政権獲得に備える組織。	㉑
㉒アメリカ合衆国のように，行政府の長のリーダーシップを重視する政治制度。	㉒
㉓アメリカ大統領が，議会に自らの政策を示すために送る文書。	㉓
㉔中国に見られる，共産党の一党独裁のもと，国家機関を統制する政治制度。	㉔

演習問題

1 ある高校のクラスで，ノーベル平和賞を受賞したワンガリ=マータイさんについて学習しました。授業の中で先生が次のような提案を行いました。「マータイさんが来日したとき，日本人が物を大切に使うことに感銘を受けて，『もったいない』という言葉に興味をもったそうです。しかし，この『もったいない』という言葉には，色々な意味をもたせることができます。例えば，『古いものにこだわり，新たな機会を開かないことの方が，もったいない』というような意味で使うこともできそうです。この言葉をきっかけとして，皆さんがこれまでの授業で学んで考えたことを，来週の授業で発表してみましょう。」翌週の授業で，イケダさんが発表を行いました。

イケダさんの発表内容の一部
「もったいない」精神の表れ方の例として，古い建物をどのように扱うかという問題を取り上げます。多様な価値観の下での決定には，難しい問題があります。
　ある市が，古い建物A～Cの三つを所有しています。市は，そのうちの一つを保存し，博物館として再利用するとともに，他の二つを取り壊して再開発することを計画しています。それに関して，ある任意団体がアンケートを実施しました。建物A～Cについて，保存したい順に順位をつけてもらうアンケートです。100人の市民が回答し，その回答は次の三つのグループに分かれました。

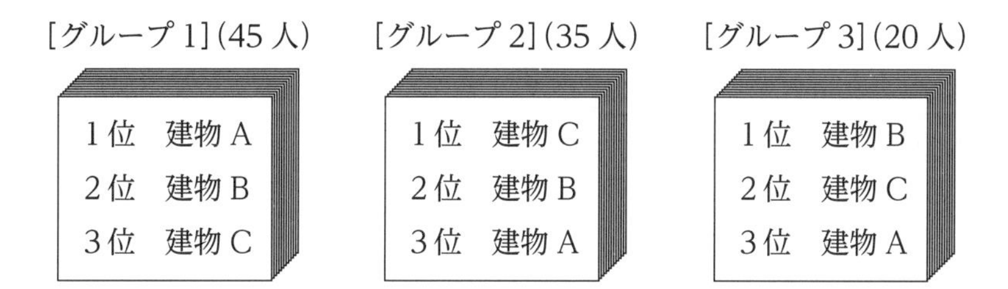

　保存する建物を一つに決める方法として，次の ⅰ～ⅲを考えてみます。アンケートの集計結果を前提にしてⅰ～ⅲそれぞれの方法をとると，結果はどのようになるでしょうか。ただし，決選投票では，より多くの人が選んだ方を，保存する建物に決めます。その際の投票数や選好などの条件は，最初のアンケートと同じであるとします。

方　法	保存する建物
ⅰ 「保存したい」1位に選んだ人が最も多かった建物に決める。	建物A
ⅱ 「保存したい」1位に選んだ人が多かった二つの建物に絞り，決選投票を行う。	ア
ⅲ 「保存したい」3位に選んだ人が最も多かった一つの建物を除き，残りの二つの建物で決選投票を行う。	イ

　投票の結果はしばしば「民意の反映」と語られますが，民意というものは決定方法によって異なりうると分かるでしょう。

イケダさんの発表内容中の ア ・ イ に入る建物の組合せとして最も適当なものを，次のページの①～⑥のうちから一つ選べ。

① ア―建物Ａ イ―建物Ｂ ② ア―建物Ａ イ―建物Ｃ ③ ア―建物Ｂ イ―建物Ａ
④ ア―建物Ｂ イ―建物Ｃ ⑤ ア―建物Ｃ イ―建物Ａ ⑥ ア―建物Ｃ イ―建物Ｂ

〈2021年大学入学共通テスト現代社会本試第1日程〉

2 Kさんは，授業ノートをカードにまとめる作業を始めた。

カードⅠ：授業で習った三権分立のまとめ

ア 国家権力を立法権，行政権(執行権)，司法権(裁判権)に分ける。
イ それら三つの権力を，それぞれ，議会，内閣(または大統領)，裁判所といった常設の機関が担う。
ウ 三つの権力間で相互に，構成員の任命や罷免などを通じて，抑制・均衡を図る。

すると，大学生の兄が，「中江兆民はフランスに留学して，帰国後はルソーやモンテスキューの思想を紹介したんだよ」と言って法思想史の講義のプリントを貸してくれた。Ｋさんはそれを読んで，モンテスキューが『法の精神』において展開した権力分立論に興味をもち，その特徴をカードⅡにまとめた。

カードⅡ：モンテスキューの権力分立論の特徴

(1) 国家権力を立法権と執行権とに分けるだけでなく，執行権から，犯罪や個人間の紛争を裁く権力を裁判権として区別・分離する。
(2) 立法権は貴族の議会と平民の議会が担い，執行権は君主が担う。裁判権は，常設の機関に担わせてはならない。職業的裁判官ではなく，一定の手続でその都度選択された人々が裁判を行う。
(3) 立法権や執行権は，裁判権に対して，その構成員の任命や罷免を通じた介入をしないこととする。

問1 Kさんは，カードⅠ中の記述ア～ウの内容をカードⅡ中の記述(1)～(3)の内容に照らし合わせてみた。そのうち，アは，国家権力を立法権，行政権(執行権)，司法権(裁判権)の三権に分けるという内容面で，(1)に合致していると考えた。続けて，イを(2)と，ウを(3)と照らし合わせ，三権の分立のあり方に関する内容が合致しているか否かを検討した。合致していると考えられる記述の組合せとして最も適当なものを，次の①～④のうちから一つ選べ。

① イと(2)，ウと(3) ② イと(2)
③ ウと(3) ④ 合致しているものはない

問2 プリントには，モンテスキューが影響を受けたイギリスのロックが『統治二論』で展開した権力分立論についても書かれていた。Kさんは「モンテスキューとロックの権力分立の考えを照らし合わせてみよう」と思い，ロックの考えの特徴をカードⅢにまとめた。その上で，現代の政治体制について調べて，考察を加えた。カードⅡと比較した場合のカードⅢの特徴や，政治体制に関する記述ＡとＢの正誤の組合せとして最も適当なものを，次のページ①～④のうちから一つ選べ。

カードⅢ：ロックの権力分立論の特徴

- 国家権力を，立法権と執行権とに区別・分離する。
- 立法権は，議会が担う。
- 執行権は，議会の定める法律に従わなければならない。（ただし，執行権のうち，外交と国防に関するものについては，法律によらずに決定できる。）

A　ロックの権力分立論は，モンテスキューと同様の観点から国家権力を三つに区別・分離するものであるといえる。

B　共産党の指導の下にある中国の権力集中制は，カードⅢにまとめられている国家権力のあり方と合致する。

①　A―正　B―正　②　A―正　B―誤　③　A―誤　B―正　④　A―誤　B―誤

〈2021年大学入学共通テスト現代社会本試第1日程〉

3 以下の「民主主義とは何か」の意見を元に生徒2人が議論をした。[W]～[Z]にはそれぞれア～エの記述が一つずつ，一回だけ入る。生徒Aの発言である[W]・[Z]に当てはまる記述の組合せとして最も適当なものを，下の①～⑥のうちから一つ選べ。ただし，[W]・[Z]に当てはまる記述の順序は問わないものとする。

●国政の重要な事項は国民全員に関わるものであるが，主権者である国民が決めるのであれ，国民の代表者が決めるのであれ，全員の意見が一致することはありえないのだから，過半数の賛成によって決めるのが民主主義だ。

生徒A：議会では，議決を行う前に，少数意見を尊重しながら十分に議論を行わなければいけないと思うよ。

生徒B：でも，ちゃんと多数決で決めるのだから，時間をかけて議論をしなくてもよいと思うなあ。なぜ議論をしないといけないの？

生徒A：それは，[W]からじゃないかな。

生徒B：いや，[X]。それに，[Y]よ。

生徒A：仮にそうだとしても，[Z]。それに，議論を尽くす中で，最終的な決定の理由が明らかになり，記録に残すことで，後からその決定の正しさを振り返ることができるんじゃないかな。

ア　時間をかけて議論をすることで人々の意見が変わる可能性がある

イ　決定すべき事項の中には，人種，信条，性別などによって根本的に意見の異なるものがある

ウ　少数意見をもつ人たちも自分たちの意見を聴いてもらえたと感じたら，最終的な決定を受け入れやすくなる

エ　時間をかけて議論をしても人々の意見は変わらない

①　アとイ　②　アとウ　③　アとエ　④　イとウ　⑤　イとエ　⑥　ウとエ

〈2018年大学入学共通テスト試行調査政治経済〉

1 日本国憲法の成立

教科書　p.76〜79

▶明治憲法下の政治

1889年：明治政府はプロイセン憲法などを参考に〔①　　　　　　〕を制定
…天皇が定める〔②　　　　　　〕
…立憲主義の外見を備えていたが，実質的には天皇を絶対的な主権者とする絶対主義的な色彩が濃い＝**外見的立憲主義**

【明治憲法の特色】

〔③　　　　　　〕	天皇が統治権をもつ
統帥権の独立 （軍隊の指揮命令権の独立）	議会や内閣も関与できない天皇の大権
〔④　　　　　　〕	国民の権利は基本的人権としてではなく，「法律ノ範囲内」で認められた権利

【明治憲法下の政治】

大正時代：〔⑤　　　　　　　　〕
自由主義的・民主主義的な風潮→政党内閣が生まれる（1918年）
・〔⑥　　　　　　　　〕の制定（1925年）
⇔〔⑦　　　　　　　〕の制定…労働運動・言論弾圧の強化
昭和時代：軍部による政治干渉→第二次世界大戦へ

▶日本国憲法の成立

【敗戦と憲法改正】

・1945年8月14日：〔⑧　　　　　　　　〕
…日本政府が受け入れて降伏した占領方針
…日本の武装解除と民主化を進める指針
・〔⑨　　　　　　　　〕が日本政府に対して憲法改正を示唆
→日本政府，憲法改正案（松本案）を作成
…明治憲法とあまりかわらないものであった

⇔ GHQ…松本案を拒否，憲法草案（マッカーサー草案）作成
↓
日本政府…マッカーサー草案をもとに改正案をまとめる
↓
日本国憲法の成立…1946年11月3日公布，1947年5月3日施行

▶日本国憲法の基本原理

【三大基本原理】

(1)**国民主権**→〔⑩　　　　　　　〕…天皇は**国事行為**のみをおこなう
(2)〔⑪　　　　　　　〕**の尊重**…個人の尊重を基本原理としたうえで，国民の権利を「侵すことのできない永久の権利」として保障
※明治憲法下では制限されていた

〉〉〉〔②〕と民定憲法
〔②〕君主主権の原理に基づき，君主が制定した憲法。一方，国民主権の原理に基づき，国民が制定した憲法を民定憲法と呼ぶ。（→圏p.77❶）

〉〉〉さまざまな憲法改正案
政府の動きとは別に，さまざまな立場の団体・政党などによる憲法改正案作成の動きがあった。とくに，憲法研究会の改正案は，GHQからも高い評価を受けた。（→圏p.77❹）

〉〉〉国事行為
内閣の助言と承認によりおこなう。内閣総理大臣や最高裁判所長官の任命，法律の公布，国会の召集，衆議院の解散，栄典の授与，外国の大使・公使の接受（第6条，第7条）などがある。（→圏p.78❶）

(3)〔⑫　　　　　　　　〕…恒久平和主義を採用

…戦争の放棄，戦力の不保持，国の交戦権の否認

※前文で全世界の国民の〔⑬　　　　　　　　　〕を保障

▶最高法規性

・憲法は国の〔⑭　　　　　　　　〕…憲法に違反する法律などは無効

・〔⑮　　　　　　　　　　〕…天皇および国務大臣，国会議員，裁判官その他の公務員が負う

▶憲法改正

・憲法の改正には，厳格な手続きが定められている＝〔⑯　　　　　　　〕

→各議院の総議員の３分の２以上の賛成で国会が改正案を発議し，国民投票で過半数の賛成を得る必要がある

〉〉〉**国民投票法**

日本国憲法の改正手続きを具体的に定めたのが，「日本国憲法の改正手続に関する法律(国民投票法)」(2007年公布，2010年施行)である。主な内容は，(1)国民投票のテーマは憲法改正に限定，(2)投票年齢は18歳以上，(3)公務員と教育者の国民投票運動の制限，(4)テレビなどによる広告の禁止，である。(→図p.79❸)

Check! 資料読解　**1教科書p.77❶「明治憲法下の政治機構」　p.110❶「日本の権力分立(三権分立)」の図と比較した次の①～④の文のうち，正しいものを一つ選びなさい。**

①　明治憲法下で天皇がもっていた帝国陸海軍の統帥大権は，現在は国民が保有している。

②　国民の人権は，明治憲法下では「臣民の権利」として，現在は「国民主権」として，一貫して侵すことのできない永久の権利として認められている。

③　明治憲法下でも現在でも，国務大臣は内閣総理大臣が任命している。

④　明治憲法下では主権は「神聖ニシテ侵スヘカラス」とされた天皇がもっていたが，現在は国民が保有している。

2教科書p.78❸「日本国憲法と大日本帝国憲法の比較」　日本国憲法は，なぜ憲法改正に国民投票を必要としているのか。次の文章の空欄に当てはまる語句を記入しなさい。

憲法改正とは，国のあり方を選択することであり，それを決定するのは，主権者の役割にほかならない。日本国憲法は，〔　　　　　　　〕を基本原理としているため，主権者である国民の意思を問う国民投票が必要である。

Exercise　**「憲法改正」をめぐる，次の二人の会話文中のア・イに当てはまる，二人の主張の根拠となるものはどれだろうか，最も適当なものを，下の①～④のうちから一つずつ選びなさい。**

ケン：憲法改正の発議には国会で総議員数の3分の2以上が必要だけど，これはハードルが高すぎるよ。〔　ア　〕という理由から，国会での意見を反映しやすくするために，過半数でよいのではないかな。

ミキ：憲法は最高法規なのだから，改正については他の議案と区別して考えるべきだと思うよ。民主主義がもし間違った判断をして，そのことが人々の人権を損なうような場合，これを抑えるのが憲法でしょう。〔　イ　〕という理由から考えれば，改正要件は厳しくすべきだよ。

①　より多くの改正を重ねた憲法のほうがよりよい憲法である

②　国民全体の代表である国会議員から構成される国会で決定されたことを尊重するのが民主主義のルールである

③　多数決は，多くの人が賛成しているという理由で，常に正しい選択をしている

④　憲法に従って政治をおこなうことが立憲政治である　　ア［　　］　イ［　　］

2 平和主義とわが国の安全①

教科書　p.80〜82

▶平和主義の確立

・過去の戦争への厳しい反省
→徹底した〔①　　　　　　　〕を日本国憲法で採用
…再び戦争の惨禍を繰り返さない
…全世界の国民が平和のうちに生存する権利(〔②　　　　　　　　　〕)を有する

▶憲法第９条と防衛力の増強

【日本の再軍備】

1950年	〔③　　　　　　　　　〕の創設 …朝鮮戦争を機に連合国軍総司令部が指示
1952年	〔④　　　　　　　〕発足
1954年	MSA協定(日米相互防衛援助協定)…日本の再軍備を推進 →〔⑤　　　　　　　〕発足 →数次にわたる防衛力整備計画を経て，世界有数の規模に

・〔⑤〕に対する政府の見解
「自衛のための必要最小限度の実力であり，第９条で禁じられている戦力ではない」
・〔⑥　　　　　　　〕…軍隊の独走を防ぐため，国防上の重要事項の決定権を文民(職業軍人でない者)がもつこと
・〔⑦　　　　　　　　　　　　〕…外交・安全保障に関する諸課題について，政府の意思決定や政策判断をはやめるため，議長である〔⑧　　　　〕の主導のもと関係閣僚が日常的に情報交換や審議をおこなう機関

▶日米安保体制

1951年：日本政府は〔⑨　　　　　　　　　　　　　　　　〕の締結と同時に，〔⑩　　　　　　　　　　　　〕(安保条約)を結ぶ
→アメリカ軍の日本駐留＋基地を提供
→日本は極東における冷戦の最前線に

1960年：安保条約は〔⑪　　　　　　　　　　　　　　　　〕(新安保条約)に改定←激しい反対運動が展開された

⇨
・自衛隊の増強
・日本の領域内で日米いずれかが攻撃を受けた場合，共同行動をとること
などが盛り込まれる

〉〉〉**MSA協定**
日本が，自国の防衛力の発展・維持のために全面的寄与をおこなうことを条件として，アメリカは，日本の軍備強化に援助を与えるとする日米協定。日本の再軍備を推進する役割を果たした。(→教p.80❷)

〉〉〉**〔⑤〕の役割**
国土防衛や公共の秩序維持のほか，自然災害の際に人命や財産を保護するための活動(災害派遣)などがある。(→教p.80❸)

〉〉〉**日米地位協定**
新安保条約第6条に基づく，駐留米軍や米軍人の法的地位を定めた協定。米軍基地の無料使用，低空飛行訓練の容認，基地返還時の原状回復義務の免除，また「公務中」の犯罪の裁判権が米国側にあり，日本の裁判権が優先的に及ぶ「公務外」の犯罪についても，日本の警察や検察による捜査が大きく制約されていることなど，さまざまな問題点が指摘されている。(→教p.83❶)

1978年：「〔⑫　　　　　　　　　　　〕(ガイドライン)の策定

→日米共同作戦の研究，日米共同演習がおこなわれるようになる

・在日米軍駐留経費の一部を日本側が負担するようになる

(「〔⑬　　　　　　　〕」)

▶非核３原則

・核兵器を「〔⑭　　　　　　　　　　　〕」

…日本政府の基本方針(1971年，国会決議)

→「広義の密約」により，米軍による核兵器のもち込みが黙認されていた

正誤問題　**次の文が正しい場合には○，誤っている場合は×を〔　〕に記入しなさい。**

1．日本国憲法は第９条で戦力の不保持をうたっており，徹底した平和主義を特徴としている。〔　　〕

2．警察予備隊，保安隊にかわる自衛隊は，第二次世界大戦後の占領下で，GHQの指示により創設された。〔　　〕

3．自衛隊の役割の１つは，地震など自然災害の際に人命や財産を保護するために活動することである。〔　　〕

4．長沼ナイキ訴訟は，日米安保条約の合憲性について争われた。〔　　〕

5．砂川訴訟では，最高裁は，統治行為論によって憲法判断を回避した。〔　　〕

6．「思いやり予算」とは，在日米軍駐留経費の全部を日本側が負担するとしたものである。〔　　〕

Check! 資料読解　**教科書p.81 1「防衛関係費の推移」について，以下の問いに答えなさい。**

問１　読み取れる内容として正しいものを，次の①～④のうちからすべて選びなさい。

①　自衛隊の設置以降こんにちまで，防衛関係費は増大を続けており，前年を下回ったことはない。

②　防衛関係費は，2023年度に６兆円をこえた。

③　防衛関係費が増大している期間は，GNP(GDP)に占める割合もあわせて上昇している。

④　防衛関係費がGNP(GDP)に占める割合が２％をこえたことはない。

問２　防衛関係費が1990年代まで増大し続けたのはなぜか。教科書p.242，243を確認し，次の文章の空欄に当てはまる語句を記入しなさい。

第二次世界大戦後，アメリカを中心とする〔ア　　　　　〕陣営と，〔イ　　　　〕を中心とする社会主義陣営との対立が表面化して〔ウ　　　　〕がはじまり，1989年の両国の首脳による終結宣言まで続いた。日本は日米安保体制のもと，〔ア〕陣営の一員として防衛力の強化に努めてきたため。

2 平和主義とわが国の安全②

教科書　p.82～85

▶自衛隊の海外派遣と安保体制の変容

【自衛隊の海外派遣】

1991年	湾岸戦争終結後，自衛隊がはじめて海外に派遣される ※国際貢献などが理由
1992年	〔①　　　　　　　　　　〕の制定 …自衛隊は〔②　　　　　　〕をはじめ，世界各地に派遣されるようになった
1996年	〔③　　　　　　　　〕…日米の防衛協力を強化
1997年	ガイドラインを改定
1999年	〔④　　　　　　〕を制定 …日本周辺地域で，日本の平和と安全に重大な影響を与える〔⑤　　　　　〕の際に，自衛隊が米軍の後方支援をおこなうことなどを定めた
2015年	ガイドラインを再度改定 →〔④〕が改正され，〔⑥　　　　　　　　〕に名称変更…弾薬の提供や発進準備中の戦闘機への給油，兵士輸送などが可能に

>>>〔①〕
2001年の改正により，停戦監視など国連の平和維持軍本体業務への参加が可能になり，武器使用条件も拡大した。(→教p.83❸)

>>>後方支援
アメリカ軍への物品・役務の提供(燃料補給や物資・人員の輸送)をおこなう後方地域支援活動や，戦闘中に遭難した米兵を救助する活動(後方地域捜索救助活動)など。(→教p.83❹)

▶戦地への自衛隊派遣

【拡大する自衛隊の役割】

2001年	「〔⑦　　　　　　　　　　〕」 …アメリカがテロリストの拠点であるアフガニスタンを攻撃 →日本は〔⑧　　　　　　　　〕を制定 …米軍などの艦船への海上給油のために自衛艦をインド洋に出動
2003年	イラク戦争…〔⑨　　　　　　　　　　〕を制定 →武力衝突が続くイラクに自衛隊を派遣
2006年	自衛隊法の改正…自衛隊の海外活動が「本来任務」に
2015年	〔⑩　　　　　　　　〕が恒久法として制定 …国連憲章に従って活動する外国軍に対する，自衛隊の協力支援活動などが可能に →現場の判断で武器を使用する危険性が高まったとの指摘も

>>>海賊対処法
2009年制定。海賊行為の取り締まりを目的とする自衛隊の海外派遣を可能にした。(→教p.83❺)

▶戦後の安全保障政策の転換

・政府は従来，同盟国が攻撃された場合，自国への直接攻撃がなくても協力して防衛行動をとる〔⑪　　　　　　　〕の行使は許されないとしてきた

2014年：〔⑪〕の行使を限定的に容認する閣議決定

>>>個別的自衛権
外からの急迫不正な侵害を受けたとき，自国を守るために必要な措置をとる権利。(→教p.84❶)

2015年：「〔⑫　　　　　　　　〕」の制定
…〔⑪〕の行使や米軍などに対する後方支援活動の拡大など
→政府が〔⑬　　　　　　　　〕を認定すれば，自衛隊は自国の防衛のため，武力で他国を守ることが可能に
2022年：国家安全保障戦略
…〔⑭　　　　　　　　〕（反撃能力）の容認や防衛費の大幅増額

▶平和主義と日本の役割

・日本政府は，日本国憲法の理念である「武力によらない平和」の立場から外交努力をしていかなければならない
→「唯一の〔⑮　　　　　〕」として，核兵器の全面的禁止に向けて，各国政府と国際世論に働きかけていく責任がある

Check! 資料読解 **教科書p.84❷「憲法第9条と自衛権に関する政府解釈の推移」 解釈はどのように変更されてきたのか，下の選択肢から適するものを選びなさい。**

1946年（吉田首相）：〔　　　〕　　1954年（政府統一見解）：〔　　　〕
1972年（田中内閣統一見解）：〔　　　〕　　2014年（安倍内閣閣議決定）：〔　　　〕

〈選択肢〉 A：自衛のための必要最小限度の実力を備えることは許されるものと解される。
B：自衛隊は国土保全を任務とし，憲法の禁じている戦力に当たらない。
C：他国への武力攻撃であったとしても，わが国の存立を脅かすことも起こり得るため，自衛のために必要最小限度の実力を行使することは，憲法上許される。
D：自衛権の発動としての戦争も，交戦権も放棄した。

TRY! **日本はどのような安全保障を重視しているか，教科書p.257の本文を参考にして，次の文章の空欄に当てはまる語句を記入しなさい。**

グローバル化が進展して，一国では対処できない地球規模の課題が増えている。日本は，平和国家ならではの国際貢献として〔ア　　　　　　　　〕などを通じて発展途上国における貧困削減，平和構築などに貢献している。とくに，紛争，人権侵害，貧困，感染症，テロ，環境破壊などから人間の生存と尊厳を守る「〔イ　　　　　　　〕」を重視している。

Exercise **沖縄の基地問題について，次のア・イの選択・判断はどのような根拠に基づいたものだろうか。それぞれについて，最も適当なものを，下の①～④のうちから一つずつ選びなさい。**

ア　騒音や墜落事故などの基地被害に沖縄県民だけが苦しむのは公正ではないととらえ，沖縄の人々の人権を守ることは義務であると考えて，他の地域にも平等に基地負担を課す選択をおこなう。
イ　基地を減らすことで，騒音や墜落事故などによる危険がなくなって，安心して生活ができるという幸福の増加分と，基地関連収入が減ることにともなう幸福の減少分を合算し，社会全体の幸福が最大限になるような選択をおこなう。

① 最大多数の最大幸福をもたらす結果を重視するべきである。
② 単純に多くの人の意見に従った決定を重視するべきである。
③ 常に正しく行為するような性格をもつことを重視するべきである。
④ 行為の動機となる義務を重視するべきである。

ア〔　　　〕　イ〔　　　〕

3 基本的人権の保障①

教科書　p.88〜92

▶基本的人権の尊重

【人権の永久不可侵性】

・基本的人権…国家権力によっても侵し得ない永久の権利
←個人の尊重の原理(第13条)がその基礎にある⇔利己主義

▶自由権の保障

・〔①　　　　　〕…他人の自由や権利を侵さない限り，国家からの干渉を受けずに自由に行動できる権利
→〔①〕の保障は，個人の尊重と深くかかわる

▶精神の自由

・〔②　　　　　〕…心のなかで自由に考えることの自由
・〔③　　　　　〕…信仰の自由，宗教的行為の自由，宗教的結社の自由
〔④　　　　　〕の原則…国家と宗教の結びつきを否定
・〔⑤　　　　　〕…集会，結社，言論，出版などの自由
・〔⑥　　　　　〕…学問研究の自由，研究発表の自由，教授の自由

〉〉〉**靖国神社参拝問題**
靖国神社は，戦前，軍人などの戦没者の霊をまつる神社として国家神道の象徴とされた。戦後は一宗教法人とされたため，内閣総理大臣が靖国神社に公的な資格で参拝することは，政教分離違反の疑いがある。
(→教p.89❶)

〉〉〉**検閲**
憲法は検閲(国が表現物の内容を事前に審査し，不適当と認めるものの発表を禁止する制度)を絶対的に禁止している(第21条2項)。
(→教p.90❶)

〉〉〉**死刑をめぐる議論**
最高裁は1948年に死刑は残虐刑に当たらないという合憲判決を出し，日本では死刑制度が定着している。しかし，国際的には1989年に死刑廃止条約が国連総会で採択され，廃止の流れが強まっている。

▶人身の自由

・人身の自由…不当な逮捕・監禁・拷問や恣意的な刑罰をされない自由

⇨
・奴隷的拘束や苦役からの自由
・拷問・残虐刑の禁止
・〔⑦　　　　　〕の原則…裁判所の令状がなければ，逮捕・捜索・押収を許さない
・被疑者・被告人の〔⑧　　　　　〕
・被疑者・被告人の〔⑨　　　　　〕
・〔⑩　　　　　〕…どのような行為が犯罪となり，どのような刑罰が科されるのかを，事前に法律で定めておかなければならない
・〔⑪　　　　　〕…刑罰を科すには，法の定める適正な手続きによらなければならない

→〔⑫　　　　　〕(無実の罪)を防ぐため，これらの規定を厳格に守る必要性
・犯罪被害者の人権…犯罪被害者基本法で犯罪被害者の権利を明記

▶経済活動の自由

経済活動の自由…資本主義の発達を，法の側面から支えてきた
・〔⑬　　　　　〕の自由
・〔⑭　　　　　〕の保障
→無制限に認めると，貧富の差や社会的不平等が生じる
→〔⑮　　　　　〕による制限

Work 教科書p.58～59の判例を参考にして，次の表の空欄に当てはまる語句を答えなさい。

訴訟名	関係する憲法上の権利	事件の内容	最高裁の判決要旨
三菱樹脂訴訟	(②)	学生運動の経歴により会社が本採用拒否	(⑥) を理由として本採用を拒否しても憲法違反ではない
津地鎮祭訴訟	(③)	津市が (④) 方式の地鎮祭をおこなった	憲法違反ではない
(①) 訴訟	信教の自由	神社への玉ぐし料として (⑤) を支出した	玉ぐし料の支出は憲法の禁じた (⑦) に当たる

Check! 資料読解 教科書p.89 1「日本国憲法の基本的人権」 人身の自由に関する条文が多いのはなぜか。次の文章の空欄に当てはまる語句を記入して，説明しなさい。

〔ア 〕のもとでの拷問による〔イ 〕の強要などに対する反省から，日本国憲法では諸外国では見られないほど詳細に人身の自由に関する規定を置いている。

Active 死刑制度の是非について，次のア～エの選択・判断はどのような根拠に基づいたものだろうか。それぞれについて，最も適当なものを，下の①～③のうちから一つずつ選びなさい(同じ番号を何回用いてもよい)。また，あなたは死刑制度について，どう考えるだろうか。意見を書きなさい。

ア 個人の生命・自由・幸福追求権に権力が介入することは許されないという点から死刑制度には反対する。

イ 死刑制度があることで凶悪犯罪が減るという抑止効果があり，それによって被害者は減少するはずである。

ウ どのような場合であっても，個人の生命は尊重されるべきであり，それは罪を犯した者にとっても同じである。

エ 被害者の無念，遺族にとって続く苦しみといった感情を考えれば，死刑制度は存続すべきである。

① 死刑制度は個人や社会の幸福になるか。

② 国が人の命を奪うことは正義にかなうか。

③ 極刑という考え方は人間の尊厳に反しないか。

ア	ウ
イ	エ

存続すべき ／ 廃止すべき

<理由>

3 基本的人権の保障②

教科書　p.92〜95

▶平等権の保障

・〔①　　　　　　　〕
　…「個人の尊重」の原理から導き出される権利
　…自由権と並んで，近代市民社会では不可欠の基本的人権
　　→男女の平等，選挙における平等，教育の機会均等

▶社会のなかのさまざまな差別

【女性差別】

〉〉〉**選択的夫婦別姓**
女性の社会進出が進むなか，結婚にともない改姓すると，女性が職業上不利益を受けるとして，夫婦別姓を可能とする民法改正を求める声が強まっている。（→教p.93❶）

1985年	女性差別撤廃条約の批准に際し， 〔②　　　　　　　　　　　　〕の制定 …職場の男女差別をなくし，職業上の男女平等の実現をめざす
1991年	育児休業法の制定→1995年に育児・介護休業法へと改正
1999年	〔③　　　　　　　　　　　　　　　〕の制定

・〔④　　　　　　　　　〕（社会的・文化的に作られた性差）に基づく男女の固定的な役割分担とそれによる差別は，完全には解消されていない

【部落差別】

〉〉〉**被差別部落**
賤民身分として差別された人たちが住まわされた地区。（→教p.93❷）

1922年	「〔⑤　　　　　　　　　〕」の結成 …被差別部落の人々により結成→差別の撤廃を求める
1965年	政府が同和対策審議会答申を発表→差別の解消をめざす

【民族差別・外国人差別】

1997年	「〔⑥　　　　　　　　　　　　〕」の制定 …民族の文化振興が主な目的で,先住民族としての権利は明記されず
2019年	〔⑦　　　　　　　　　　　　　〕の制定 …アイヌを「先住民族」と明記し，文化の維持・振興に向けた交付金制度を創設

・近年は在日韓国人・朝鮮人など，かつて日本の侵略により植民地支配を受けた国の出身で，日本に定住する外国人への差別が問題となっている

【障がい者差別】

・〔⑧　　　　　　　　　　〕（1993年）を制定
　→障がい者の自立と社会参加の支援をはかる

【性的少数派の権利保障】

・性同一性障がい者や性的少数者（〔⑨　　　　　　〕）の権利保障も重要な課題
　→2023年には，性的指向やアイデンティティの多様性に関する理解の増進を求めるLGBT理解増進法が制定

【病気を理由とする差別】

〉〉〉**ハンセン病家族訴訟**
2019年，熊本地裁は，ハンセン病の患者の家族が受けてきた差別偏見などによる被害についても，国の責任を認める判決を言い渡した。

判例：〔⑩　　　　　　　　〕国家賠償訴訟（熊本地裁）
　　　→損害賠償を命じる判決，国は控訴を断念して謝罪

Work **1次の差別は何に違反しているか。法律名や，憲法の条文を答えなさい。**

①募集採用に当たって，

・男女のいずれかを優先すること。

・労働者の身長，体重または体力などを要件とすること。　（　　　　　　　　　　　）

②婚外子の法定相続分を婚内子の２分の１と定めた民法の規定。　（　　　　　　　　　　　）

2教科書p.93「男女の固定的な役割分担とそれによる差別は，現在も完全には解消されていない」とあるが，p.56を見ると，日本の女性管理職の割合は欧米諸国に比べて際立って低いことがわかる。これを増やすにはどのような方策が必要か，教科書p.52～53およびp.56のActiveを参考にして，次の文中の(ア)～(エ)に当てはまる語句を下の語群から選びなさい。

日本の女性には機会の平等は保障されていても(**ア**)が十分には実現されておらず，また女性への直接差別は禁止されていても(**イ**)は事実上根強く残っている。こうした状況のなかで女性管理職の割合を増やすには，(**ウ**)の導入が必要であり，その一つとして，女性管理職の割合に一定の数値を設定し，その実現を義務づける(**エ**)の採用が有効な方策となり得る。

〈語群〉　①　積極的差別是正措置　　②　間接差別　　③　クオータ制　　④　結果の平等

ア	イ	ウ	エ

3次の文が正しい場合には○，誤っている場合には×を〔　〕に記入しなさい。

①　日本国憲法第14条では，人種や性別によって差別してはならないことが明記されている。〔　　　〕

②　男女共同参画社会基本法の制定を受けて，日本は，女性差別撤廃条約を批准した。〔　　　〕

③　アイヌ文化振興法では，アイヌ民族の先住民族としての権利が明記された。〔　　　〕

④　最高裁判所の判決を受けて，定住外国人には地方参政権を認めるようになった。〔　　　〕

⑤　最高裁判所は，婚外子の法定相続分が嫡出子の半分と定める民法の規定を違憲と判断したことがある。〔　　　〕

TRY! **教科書p.95Active「在日外国人の権利」　次の会話は定住外国人の人々に地方選挙権を認めることについての議論である。教科書p.52の記述を参考にして，空欄に当てはまる語句を下の〈語群〉から選びなさい。**

ミキ：定住外国人の人々も地域に貢献して活動している以上，選挙権を認めるべきだと思うわ。

ケン：でも，日本人と外国人を区別して考えたほうがよいと僕は思うな。日本国憲法は，〔**ア**　　　　〕主権を基本原理としているし，第15条でも，「公務員を選定し，及びこれを罷免することは，〔**ア**〕固有の権利である」と明記されているよ。

ミキ：うーん…。日本に住んで税金なども払っているんだから認められるべきだと思うけど。また，〔**イ**　　　　〕の考え方を踏まえて，すべての人を等しく扱うべきではないかな。

ケン：たしかにそうだね。あらゆる人間には〔**ウ**　　　　〕もあって，個人として尊重されるべきだしね。この観点から考えると，定住外国人の人々にも選挙権を認めるべきだね。

〈語群〉
尊厳　　生命　　自由　　国家　　国民　　平等

3 基本的人権の保障③

教科書　p.95～97

▶社会権とは

・[①　　　　　　]…人間らしい生活を求める権利
…国に対して積極的な施策を要求する権利

▶生存権

・[②　　　　　　]…すべての国民に保障された，「健康で文化的な最低限度の生活を営む権利」
→国に対して，社会保障施策を積極的に推進すべきことを義務づける

【憲法第25条をめぐる法的解釈の相違】

・[③　　　　　　]…第25条は法的な権利を定めたものであり，憲法に基づいて[②]の保障を裁判で主張できるとする

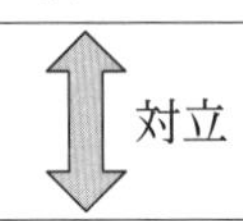

・[④　　　　　　]…第25条は生存権保障に関する国の政策上の指針を示したに過ぎず，個々の国民に具体的権利を与えたものではないとする
→最高裁は[⑤　　　　　　]などで採用

〉〉〉**堀木訴訟**
障害福祉年金と児童扶養手当の併給禁止規定は違憲であると訴えた訴訟。1982年の最高裁判決は，国会の裁量の範囲内であるとして，違憲性の主張を退けた。(→教p.96判例2)

▶教育を受ける権利

・人間らしい生活を営むには，一定の水準の知識・技術を身に付ける必要がある
→憲法は，[⑥　　　　　　]を保障
…教育の[⑦　　　　　　]をうたい，[⑧　　　　　　]の無償を定める

〉〉〉**学習権**
教育を受ける権利の基礎には，人は教育を受け，学習して，成長・発達していく固有の権利(学習権)を有する，という理念があるとされる。(→教p.96❶)

▶労働基本権

・日本国憲法は，労働者の権利を認めることで人間らしい生活の維持を保障
…[⑨　　　　　　]や[⑩　　　　　　](団結権・団体交渉権・団体行動権)を労働基本権として保障
←これらを具体的に保障するため，[⑪　　　　　　](労働基準法・労働組合法・労働関係調整法)が制定されている
…公務員労働者は[⑩]が厳しく制限されている

▶参政権・請求権

・[⑫　　　　　　]…国民が政治に参加する権利
議会制民主主義(間接民主制)のもとでの権利
…公務員の[⑬　　　　　　]，普通選挙・平等選挙・投票の秘密
直接民主制的な権利
…最高裁判所裁判官の[⑭　　　　　　]，地方特別法の[⑮　　　　　　]，憲法改正の[⑯　　　　　　]

〉〉〉**請求権**
基本的人権を保障するため，国家に積極的な行為を求める権利。憲法は，請願権，国家賠償請求権(公務員の不法行為で損害を受けた場合に賠償を求めることができる権利)，裁判を受ける権利，刑事補償請求権(拘禁などされたのち無罪の裁判を受けた場合に補償を求めることができる権利)などを保障している。

【請願権】

・〔⑰　　　　　　〕…国や地方公共団体に対して希望を述べる権利

(例)署名を集めて，官公署に一定の対応を求める署名活動

※国などの側に，請願に対応する法的義務は生じないが，選挙権の有無を問わない

Work **次のことがらはどんな権利の保障に関連しているか答えなさい。**

1．ハローワークで職業紹介をしてもらった。

2．核兵器の廃絶を訴える署名やデモ行進をおこなった。

3．小学校に子どもが入学し，教科書を無料で配布してもらった。

1.＿＿＿＿＿＿＿＿　2.＿＿＿＿＿＿＿＿　3.＿＿＿＿＿＿＿＿

Check! 資料読解 **①すべての人に社会権が保障されるようにするために，日本国憲法第25条2項には国がするべきことは何と定められているか，次の文中の空欄に当てはまる語句を答えなさい。**

(**ア**　　　　　)，(**イ**　　　　　)及び(**ウ**　　　　　)の向上及び増進

②教科書p.63判例1を参考にして，朝日訴訟について説明した文として適当なものを，次の①〜⑤のうちからすべて選びなさい。

① 朝日訴訟は労働三権をめぐって争われた。

② 朝日茂さんは法的権利説に基づいて裁判を闘った。

③ 最高裁判所はプログラム規定説の立場を採用した。

④ 朝日茂さんが最後に勝訴したことで，生活保護基準が大幅に引き上げられた。

⑤ 最高裁判所は，生活保護基準の決定は厚生大臣の裁量には属さないという判決を下した。

Work **次の文が正しい場合には○，誤っている場合には×を〔　〕に記入しなさい。**

① 大日本帝国憲法でも社会権は保障されていた。〔　　〕

② 生存権について争われた裁判である朝日訴訟で，最高裁は違憲判決を出した。〔　　〕

③ 労働三権とは，団結権，団体交渉権，団体行動権の総称であるが，日本では，すべての労働者に保障されている。〔　　〕

④ 請願権では，請願を受けた側には，その請願に対応する法的義務が生じる。〔　　〕

TRY! **自由権や平等権，社会権は人間の尊厳や個人の尊重の原理とどのように結びついているのだろうか。教科書p.52も参考にし，次の文章の空欄に当てはまる語句を記入しなさい。**

基本的人権には，国家からの干渉を受けずに自由に行動できることを保障する〔**ア**　　　　　〕や平等権がある。これらの権利の基礎にあるのは，あらゆる人間は個人として尊重されるとする，〔**イ**　　　　　〕の原理(第13条)である。これら二つの権利は，近代市民社会では欠かすことのできない基本的人権であるとされてきた。

20世紀に入ると，上の二つの権利に加えて，すべての人に人間らしい生活を求める〔**ウ**　　　　　〕を保障することが必要だと考えられるようになった。そのなかには，「健康で文化的な最低限度の生活を営む権利」を保障する〔**エ**　　　　　〕がある。〔 **ウ** 〕の保障は，あらゆる人間には〔**オ**　　　　　〕がある，という考え方と深く結びついている。

4 人権の広がり

教科書　p.98〜102

〉〉〉**アクセス権**
マス・メディアとの関係では，情報の受け手である国民が，情報の送り手であるマス・メディアに対して，自己の意見の発表の場を提供することを要求する権利(意見広告や反論記事の掲載を求める権利)の必要性が論じられる。(→教p.98❶)

〉〉〉〔④〕
政府の説明責任(アカウンタビリティ)については定めているが，国民の知る権利は明記していない。(→教p.99❶)

〉〉〉〔⑤〕
特定秘密の取得も処罰される可能性があるため，報道機関の取材の自由を制約し，国民の知る権利を侵害するとの批判がある。

〉〉〉**肖像権**
本人の承諾なしに，みだりにその容ぼう・姿態を撮影されない権利。(→教p.100❷)

〉〉〉**忘れられる権利**
インターネット上の検索機能が向上したため，インターネットに流れた個人情報が半永久的に，公衆の目にさらされる危険性が現実化した。EUの司法裁判所は，この権利を認め，検索事業者は検索結果の削除義務を負うとした。

▶環境権

・〔①　　　　　　〕…良好な環境を享受する権利

背景：〔②　　　　　　　　　〕など公害問題の深刻化
根拠：幸福追求権(憲法第13条)・生存権(第25条)
効果：環境破壊行為の差し止め・予防請求

▶知る権利

・〔③　　　　　　〕…国・地方公共団体に情報を公開させる権利

背景：国民が主権者として，正しい政治判断をおこなうため
根拠：表現の自由(憲法第21条)
効果：情報公開の請求

→〔④　　　　　　　　〕の制定(1999年)

・〔⑤　　　　　　　　　　〕(2013年制定)
…国と国民の安全確保を目的に，防衛・外交など安全保障にかかわる情報を特定秘密とし，それを漏らす行為を厳罰に処する

▶プライバシーの権利

・〔⑥　　　　　　　　　　　　〕
…私生活上のことがらをみだりに公開されない権利
…自己情報をコントロールする権利

背景：情報伝達手段の飛躍的な発達
根拠：幸福追求権(憲法第13条)
効果：行政機関や民間事業者などに，個人情報の適正な取り扱いを義務づける〔⑦　　　　　　　　　　〕の制定(2003年)

【個人情報管理のための法整備の推進】

2002年：〔⑧　　　　　　　　〕が稼働
2013年：国民一人ひとりに固有の個人番号を付けて，社会保障や税に関する情報を管理する共通番号法(〔⑨　　　　　　　　　　〕)が制定

▶自己決定権

・〔⑩　　　　　　　〕…個人が一定の私的なことがらについて自ら決定することができる権利
→医療現場において実質的に保障していくためには，〔⑪　　　　　　　　〕などの確立が前提

▶社会生活と人権

・私人間における人権保障…国家権力からの自由を基本としつつ，社会的権力からの自由をも保障しようとする考え

▶人権の国際化

1948年：〔⑫　　　　　　　　　　〕の採択…個人と国家が達成すべき人権保障の共通の基準

1966年：〔⑬ 〕の採択…〔⑫〕を具体化し，各国を法的に拘束

・このほか，〔⑭ 〕の地位に関する条約(1951年)，人種差別撤廃条約(1965年)，女性差別撤廃条約(1979年)，〔⑮ 〕の権利条約(1989年)なども採択されている

▶公共の福祉

・日本国憲法は，基本的人権の永久不可侵を定めているが，人権が一切の制限を受けないということではない

→「〔⑯ 〕」のための利用

＝個人の権利を等しく尊重すること≠個人をこえた全体の利益

Work 新しい人権の動向についての説明として不適当なものを，次の①～③のうちから一つ選びなさい。

① 大阪空港公害訴訟において，大阪高裁は，環境権は認めなかったが，航空機の夜間飛行差し止めと損害賠償を認めた。

② 情報通信技術の発達にともない，膨大な量の情報が収集されているため，プライバシーの権利を，自己情報をコントロールする権利としてとらえる必要も生じている。

③ 条文中に国民の知る権利が明記された情報公開法が制定され，国が保有する情報の開示を誰でも請求できるようになった。

[ ]

Check! 資料読解 教科書p.102❸「主な人権条約と日本の批准状況」 日本が未批准の条約や批准年の遅い条約があるのはなぜか。次の文中のア・イに当てはまる語句の組合せとして正しいものを，下の①～④のうちから一つ選びなさい。

[ア]に批准する際は，[イ]の内容と矛盾していないか，精査しなければならない。また，[ア]を遵守するために[イ]を整備する場合，そのための準備期間などが必要であるため，批准までに時間がかかる。

① ア－国内法　イ－国際法　② ア－国際法　イ－国内法

③ ア－日本国憲法　イ－国際連合憲章　④ ア－国際連合憲章　イ－日本国憲法

[ ]

Exercise プライバシー権について，次のア～ウの選択・判断はどのような根拠に基づいたものだろうか。それぞれについて，最も適当なものを，下の①～④のうちから一つずつ選びなさい(同じ番号を何回用いてもよい)。

ア 防犯のために監視カメラを街中に設置することや，組織的犯罪の捜査を円滑にするために通信傍受を許容することは認められる。

イ 個人情報保護法において保護される個人情報を定義することによって，ビッグデータ活用の道があかれたことが評価できる。

ウ たとえば小説などの創作活動において，モデルとする人物の人格的利益が損なわれるような表現のあり方は認められない。

① 最大多数の最大幸福をもたらす結果を重視するべきである。

② 単純に多くの人の意見に従った決定を重視するべきである。

③ 常に正しく行為するような性格をもつことを重視するべきである。

④ 行為の動機となる義務を重視するべきである。

[ア] [イ] [ウ]

章末問題　第2編第1章　日本国憲法の基本的性格

教科書　p.74〜107

Check ✓ 重要用語

1．日本国憲法の成立

❶1889(明治22)年に制定された，わが国最初の近代憲法。 ❶

❷1925年に制定された，社会主義運動の弾圧を目的とした法律。 ❷

❸連合国軍総司令部が，日本政府のまとめた松本案を拒否して示した憲法改正案。 ❸

❹国民主権となった日本国憲法下での天皇制のこと。 ❹

❺国民主権，平和主義と並ぶ日本国憲法の三大原理。 ❺

❻改正手続きが，通常の法律の改正と比べて厳格である憲法のこと。 ❻

2．平和主義とわが国の安全

❼日本国憲法の原則の一つで，恒久の平和を念願する立場。 ❼

❽1950年に連合国軍総司令部の指示によって作られた，のちの自衛隊となる部隊。 ❽

❾1951年，サンフランシスコ平和条約と同時に，日米間で締結された条約。 ❾

❿1971年に国会で決議された，核兵器に対する「もたず，つくらず，もち込ませず」という日本政府の方針。 ❿

⓫1992年に成立し，国連平和維持活動への参加を規定した法律。 ⓫

⓬2001年にアメリカで起きた同時多発テロ事件をきっかけに，アメリカなどの軍事行動を支援するために制定された法律。 ⓬

⓭2003年のイラク戦争の際に制定され，自衛隊がイラクに派遣された根拠法。 ⓭

⓮2009年に制定された，海賊行為の取り締まりをおこなうために自衛隊を海外に派遣させる法律。 ⓮

⓯2015年に恒久法として制定された，「国際社会の平和及び安全を脅かす事態」を除去するため，外国軍に対して自衛隊が協力支援活動をおこなうことを可能にした法律。 ⓯

⓰武力攻撃事態法や国民保護法など，緊急事態に対処するために整備された法制。 ⓰

⓱自国と密接な関係をもつ同盟国への武力攻撃に対して，協力して防衛行動をとる権利。 ⓱

3．基本的人権の保障

⓲国家からの干渉を受けずに，自由に行動できることが保障される基本的な権利。 ⓲

⓳人間の心の内に生じる思想や信条などは権力の干渉を受けないという自由。 ⓳

⓴日本国憲法が定める，国家と宗教の結びつきを否定する原則。 ⓴

㉑自分の考えや自分が知った事実を発表する自由。 ㉑

㉒不当な逮捕・監禁・拷問や恣意的な刑罰権の行使から私たちを守る権利。 ㉒

㉓国家権力が刑罰を科すためには，法の定める適正な手続きを踏まなければならないということ。 ㉓

㉔人間は誰でも政治的・経済的・社会的に等しい扱いを受けるという基本的な権利。 ㉔

㉕1985年に制定された，職場の男女差別をなくし，職業上の男女平等を実現するための法律。 ㉕

㉖1997年に，北海道旧土人保護法が廃止されて，新たに制定された法律。	㉖
㉗生存権や教育を受ける権利など，自由権に対して，人間らしい生活を求める権利。	㉗
㉘国家の施策によって保障される，国民が健康で文化的な最低限度の生活を営む権利。	㉘
㉙すべての国民が，その能力に応じて等しく教育を受けることのできる権利。	㉙
㉚勤労権や労働三権など，使用者に対して弱い立場にある労働者を守るための基本的な権利。	㉚
㉛主権者である国民が政治に参加する権利。	㉛
㉜きれいな水や空気，あるいは十分な日照や静けさなどの，人間らしい生活環境の保障を要求する権利。	㉜
㉝国民が国や地方公共団体に情報の公開を求める権利。	㉝
㉞マス・メディアに対して，意見広告や反論記事の掲載を求める権利。	㉞
㉟1999年に制定された，国の行政機関に情報の公開を求める法律。	㉟
㊱私生活上のことがらをみだりに公開されたり，個人情報を不正に利用されない権利。	㊱
㊲2003 年に制定された，行政機関や民間事業者などに個人情報の適正な取り扱いを義務づける法律。	㊲
㊳医療の現場において，治療方法などを自己決定するための前提となる，十分な説明と同意のこと。	㊳
㊴1948 年に国連総会で採択された，個人と国家が達成すべき人権保障の共通の基準を示した宣言。	㊴
㊵憲法において基本的人権を制限する理由となり得る社会全体の利益。	㊵

演習問題

1 ある街で在日外国人の権利について，「討論会」が開催されました。教科書p.95 4 在日外国人の権利状況なども参考にしながら，次のページの問いに答えなさい。

●「討論会」における発言の概要

住民A：配布資料を見ると，外国人にも，①各種の社会保険や児童扶養手当まで支給されている。すでに，十分権利は保障されている。

住民B：外国人も定住し，地域の住民として生活を営んでおり，街の政策について関心をもち，②積極的に発言したり，署名活動をしたりして，希望を述べる権利はあるはずだ。

住民C：参政権は国民の重要な権利であり，もしも必要ならば，日本国籍を取得するべきだ。

住民D：公務員になるための「国籍条項」は，本市ではすでに外されていて，市役所では外国人も行政に携わる者として働いている。参政権についても地方選挙権は認めるべきだ。

住民E：未来を担う③子どもたちの教育やスポーツなどの活動については保障されている。それで十分ではないのか。

住民F：この街の未来を考えたとき，現状での保障や支援に満足せず，住民皆が未来の街のあり方を議論していくことが必要。外国人も住民の一人として参政権をもつべきだ。

問1　「討論会」では外国人の権利についていろいろな意見が出されていたが，日本国憲法における人権保障の基本的原理は何か，答えなさい。

問2　①～③の住民の発言にかかわる権利は何か，答えなさい。

①	②	③

問3　地域社会の活性化と外国人との共生社会をめざした場合，日本に生活拠点のある外国人に対して，参政権のうち，地方選挙権について認めるべきかどうか，あなたの考えを，理由・根拠を具体的にあげながら書きなさい。

在日外国人の地方選挙権を認めることに，（　賛成　／　反対　）

2 A高校の新聞部の生徒たちは，国や地方公共団体の政策や制度を検討する際に考慮すべきと思われる観点を次の二つに整理した。

（ア）　公共的な財やサービスについて，民間の企業による自由な供給に任せるべきか，それとも民間ではなく国や地方公共団体が供給すべきか。すなわち，経済的自由を尊重するのか，しないのか，という観点。

（イ）　国や地方公共団体が政策や制度を決定する場合に，人々の意見の表明を尊重するのか，しないのか。すなわち，精神的自由，とりわけ表現の自由を尊重するのか，しないのか，という観点。

いま，(ア)の観点を縦軸にとり，(イ)の観点を横軸にとって，次のような四つの領域を示すモデル図を作ってみた。

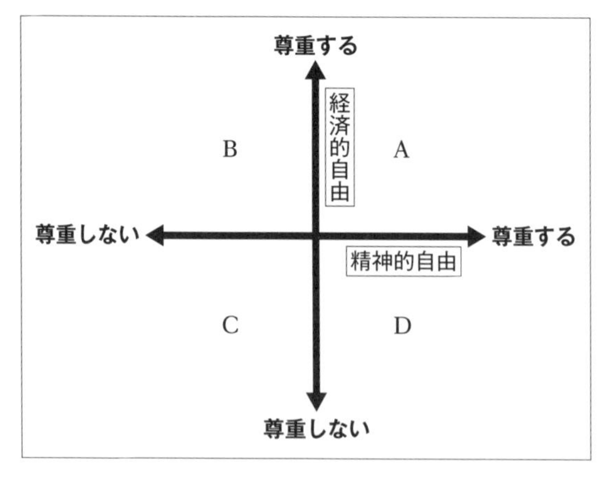

以上の観点とモデル図をふまえると，次の(ⅰ)と(ⅱ)で述べた政策や制度，国や地方公共団体の在り方は，それぞれ，A～Dのいずれの領域に位置すると考えられるか。その組合せとして最も適当なものを，下の①～⑧のうちから一つ選べ。

（ⅰ）　国や地方公共団体は，バスや鉄道などの公共交通機関を経営し，民間企業が参入する場合には，厳しい条件やルールを設ける。また，その政策に対する国民や住民の批判や反対を取り締まる。

（ⅱ）　国や地方公共団体は，バスや鉄道などの公共交通機関を経営せず，民間企業の活動に任せる。また，その政策に対する批判や反対であっても，国民や住民による意見表明を認める。

	(ｉ)	(ⅱ)		(ｉ)	(ⅱ)		(ｉ)	(ⅱ)		(ｉ)	(ⅱ)
①	A	B	③	C	D	⑤	A	C	⑦	C	A
②	B	C	④	D	A	⑥	B	D	⑧	D	B

〈2018年大学入学共通テスト試行調査現代社会〉

3 生徒Ｘが参加した「教育と法」という講義では，日本国憲法第26条第2項の「義務教育は，これを無償とする」をどのように理解するかという論点が扱われた。次の資料1～3は，講義内で配付された，関連する学説の一節と義務教育の無償に関する判断を示した1964年の最高裁判所の判決の一部分である。義務教育を無償とする規定の意味について，次の資料1～3から読み取れる内容として正しいものを，次の記述ａ～ｃからすべて選び，その組合せとして最も適当なものを，下の①～⑦のうちから一つ選べ。なお，資料には，括弧と括弧内の表現を補うなど，表記を改めた箇所がある。

資料１　(出所)永井憲一『憲法と教育基本権〔新版〕』

> 憲法が「義務教育は，これを無償とする」と明言している以上，その無償の範囲は，授業料に限定されず，教科書費，教材費，学用品費など，そのほか修学までに必要とする一切の金品を国や地方公共団体が負担すべきである，という考え方である。

資料２　(出所)奥平康弘「教育をうける権利」(芦部信喜編『憲法Ⅲ 人権(2)』)

> 「無償」とは，少なくとも授業料の不徴収を意味することは疑いなく，問題はむしろ，これ以上を意味するのかどうかだけにある。…(中略)…現実の経済状況のもとで就学に要する費用がますます多額化し，そのために義務教育を完了することができない者が少なくない，という。そして，そうだから就学必需費は全部無償とすべきである，と説かれる傾向がある。しかしこれは，普通教育の無償性という憲法の要請と，教育の機会均等を保障するという憲法における社会保障の要請とを混同しているきらいがある。経済上の理由による未就学児童・生徒の問題は，教育扶助・生活扶助の手段によって解決すべきである。

資料３　(出所)最高裁判所民事判例集18巻2号

> 同条項(憲法第26条第2項)の無償とは，授業料不徴収の意味と解するのが相当である。…(中略)…もとより，憲法はすべての国民に対しその保護する子女をして普通教育を受けさせることを義務として強制しているのであるから，国が保護者の教科書等の費用の負担についても，これをできるだけ軽減するよう配慮，努力することは望ましいところであるが，それは，国の財政等の事情を考慮して立法政策の問題として解決すべき事柄であって，憲法の前記法条の規定するところではないというべきである。

ａ　資料１から読みとれる考え方に基づくと，授業料以外の就学ないし修学にかかる費用を無償にするかどうかは，国会の判断に広く委ねられる。

ｂ　資料２から読みとれる考え方に基づくと，授業料以外の就学ないし修学にかかる費用の負担軽減について，生存権の保障を通じての対応が考えられる。

ｃ　資料３から読みとれる考え方に基づくと，授業料以外の就学ないし修学にかかる費用を無償にすることは，憲法によって禁止されていない。

①　ａ　　②　ｂ　　③　ｃ　　④　ａとｂ　　⑤　ａとｃ
⑥　ｂとｃ　　⑦　ａとｂとｃ

〈2021年大学入学共通テスト政治・経済本試第１日程一部改〉

1 政治機構と国民生活①

教科書　p.110～112

▶国会の地位と役割

・〔①　　　　　　　〕…国の政治のあり方を決める権限は国民がもつ
　　↓　国政に関するすべてを決めることは不可能
・〔②　　　　　　　〕(間接民主制)…国民の代表者が権力を行使

国会：国民の代表者により構成される
→「国権の〔③　　　　　　　〕」であり「唯一の〔④　　　　　　　〕」

▶国会の構成

・二院制…〔⑤　　　　　　　〕＋〔⑥　　　　　　　〕
　　→全国民を代表する選挙された議員によって組織
・国会議員の特権…国民の代表者としての行動が妨げられないようにするために認められた特権

不逮捕特権：会期中は逮捕されない(第50条)
免責特権：議院内での発言や表決について議院外で責任を問われない(第51条)

・国会の議決…衆議院と参議院両方の意思が合致する必要がある
　→合致しなかった場合は〔⑦　　　　　　　〕で協議
・〔⑧　　　　　　　〕…以下については〔⑤〕の議決が優先される

法律案の議決(第59条2項)
予算の議決(第60条2項)
条約の承認(第61条)
内閣総理大臣の指名(第67条2項)

※〔⑤〕議員のほうが任期も短く，解散もあるため，民意をよりよく反映していると考えられるから
・国会の種類…常会／臨時会／特別会／参議院の緊急集会

〉〉〉会期
議会が活動する期間。通常国会は原則150日，秋には臨時国会が召集されることが多い。

▶国会の権限

・〔⑨　　　　　〕に関する権限
　…法律案の議決(第59条)，条約の承認(第61条)，〔⑩　　　　　　　〕の発議(第96条)など
・三権相互の抑制に関する権限
　…内閣総理大臣の指名権(第67条)，衆議院の〔⑪　　　　　　　〕議決権(第69条)，弾劾裁判所の設置(第64条)など
・行政監督に関する権限
　…〔⑫　　　　　　　〕(第62条)

〉〉〉〔⑫〕
国政に関する事項を調査するため，両院は，証人を出頭させて証言を求め(証人喚問)，あるいは記録の提出を要求することができる(第62条)。証人喚問などに応じなかったり虚偽の証言をしたりしたときは，刑罰が科される。(→教p.112❶)

▶国会の審議

・〔⑬　　　　　　　　〕

委員会による審議　→　本会議における議決

議決は多数決(第56条)
⇔少数意見に配慮した慎重な審議が原則

【国民の意思を政治に反映するために】

・〔⑭　　　　　　　　〕…政党の所属議員は政党の決定に従うべきとする考え

・〔⑮　　　　　　　　　　〕…政治家どうしの議論の活性化が目的

〉〉〉〔⑮〕
国会の審議の活性化と，政治主導の政策決定を目的として制定された(1999年)。同法は，官僚が閣僚にかわって答弁する政府委員制度の廃止，「党首討論」の場としての国家基本政策委員会の設置，各省庁への副大臣・政務官の設置などを定めている。(→教p.112❷)

Work　1次の文が正しい場合には○，誤っている場合には×を〔　〕に記入しなさい。

① 内閣総理大臣の指名は，参議院のみに属する権限である。〔　　　〕

② 法律案・予算などの審議をする常会(通常国会)は，毎年１回開かれる。〔　　　〕

③ 国会議員は，任期中，逮捕されない。〔　　　〕

④ 国会審議を活性化させるため，党首討論がおこなわれている。〔　　　〕

2教科書p.110❶「日本の権力分立(三権分立)」を参考にして，左下の図の空欄にふさわしい文を，右下の①～⑥のなかから選んで記号を記入しなさい。

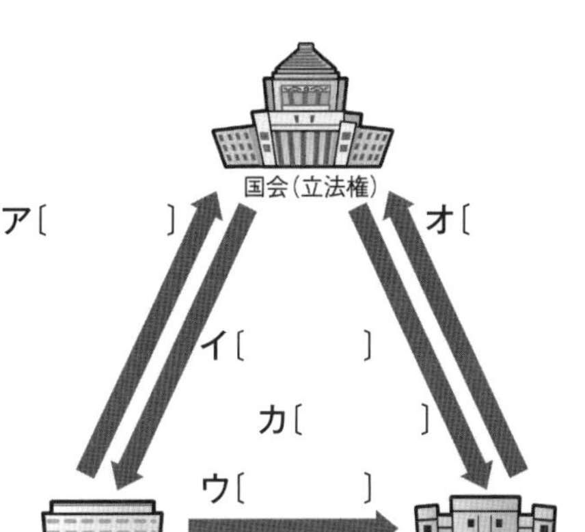

① 国会で作った法律が憲法に違反しているかどうかを判断して違憲であればこれを無効にすることができる。

② 内閣の不信任決議をおこなって，内閣を総辞職させることができる。

③ 裁判官としてふさわしくない非行をおこなった裁判官について，弾劾裁判所(不正を追及するための裁判)に訴追することができる。

④ 最高裁判所の長官を指名し，裁判官を任命することができる。

⑤ 内閣のおこなった命令(政令や省令など，法律でないが拘束力のある法規範)や行政処分が，憲法に違反しているかどうかを判断して，違憲であればこれを無効にすることができる。

⑥ 衆議院を解散することができる。

Check! 資料読解　1衆議院の優越が認められている理由は何か，次の文中の空欄に当てはまる語句を答えなさい。

衆議院議員のほうが参議院議員よりも〔ア　　　　〕が短く，〔イ　　　　〕もあるため，〔ウ　　　　〕がよりよく反映されると考えられているから，衆議院の優越が認められている。

2衆議院の優越が認められているものを，次の①～⑨のうちからすべて選びなさい。

① 内閣総理大臣の指名　② 国政調査権　③ 歳費特権　④ 条約の承認　⑤ 予算の議決
⑥ 会期中の不逮捕特権　⑦ 法律案の議決　⑧ 免責特権　⑨ 憲法改正の発議

〔　　　　〕

1 政治機構と国民生活②

教科書　p.113〜115

▶議院内閣制

・内閣は，国会の信任に基づいて成り立つ
　＝〔①　　　　　　　　〕

(1)〔②　　　　　　　　〕は国会議員のなかから，国会の議決で指名される(第67条)
(2)その他の国務大臣は〔②〕が任命するが，過半数は国会議員でなければならない(第68条)
(3)内閣は国会に対して連帯して責任を負う(第66条3項)
(4)衆議院が〔③　　　　　　　　〕を議決したときは，内閣は衆議院を〔④　　　　〕するか，または〔⑤　　　　　〕しなければならない(第69条)

▶内閣の権限

【内閣】

・内閣は，国会が制定した法律を執行する〔⑥　　　　　　〕を行使する
　→分野によっては，〔⑦　　　　　　　　〕が権限を行使
・内閣がもつその他の権限
　…外交関係の処理や条約の締結，予算の作成，政令の制定(第73条)，天皇の国事行為に対する助言と承認(第3条)，最高裁判所長官の指名と裁判官の任命(第6条2項／第79条1項／第80条1項)など

【内閣総理大臣】

・内閣総理大臣…内閣の〔⑧　　　　　〕
・内閣総理大臣の権限
　憲法…国務大臣の任免権(第68条)，行政各部の指揮監督権(第72条)など
　法律…〔⑨　　　　　〕の主宰(内閣法第4条)
　　自衛隊の防衛出動および治安出動の命令(自衛隊法第76条，第78条)など

▶行政権優位と官僚支配

・国会…「国権の最高機関」

・中央省庁の官僚機構が大きな役割
　→〔⑩　　　　　　　　〕…国会からの委任を受けて内閣が立法
　→国会審議で官僚が質疑・答弁のシナリオを作成する慣行

→〔⑪　　　　　　　　〕←政治・行政改革の根本的な課題とされてきた

▶官主導社会の転換

【行政の透明性の確保】

・〔⑫　　　　　　　　　　　　〕(行政監察官)の制度…行政機関を外部から監視し，市民の苦情申立てを処理
・〔⑬　　　　　　　　　　〕の導入(2001年)…行政事務の一部を省庁から独立した機関に任せることで，効率性・透明性の向上をはかる

〉〉〉**国務大臣**
内閣の構成員をさす。内閣府と各省にはさらに副大臣と政務官が置かれ，内閣官房長官や大臣の命を受けて，政務を処理する。副大臣は大臣の不在時に，その職務を代行する。(→教p.113❶)

〉〉〉**衆議院の解散**
衆議院の解散は，天皇の国事行為としておこなわれるが，実質的には，内閣が決定する(第7条3号)。内閣は，内閣不信任の決議がなされた場合だけでなく，国政に関して改めて民意を問う必要があると判断したときには，解散を決定できるものとされている。(→教p.113❷)

〉〉〉**〔⑦〕**
内閣から独立して公正・中立な行政運営を確保するために置かれる合議制の機関。人事院，公正取引委員会，公安委員会，労働委員会などがその例。(→教p.114❶)

・〔⑭　　　　　　　　〕の制定(1993年)…許認可や行政指導の過程の透明化が目的

・〔⑮　　　　　　　　〕の制定(1999年)…すべての人に行政文書の開示請求権を認める

・業界と官庁との癒着の原因となる官僚の「〔⑯　　　　　　〕」の制限

・〔⑰　　　　　　　　　　〕…贈与や株取引の報告・公開，国家公務員倫理審査会・倫理監督官の設置などを定める

・〔⑱　　　　　　　　　　　　　〕…内閣人事局による幹部人事の一元化などの改革→縦割り行政の弊害の是正と，官僚主導の政治の転換をはかる

〉〉〉〔⑯〕
退職した公務員が，在任した省庁の所管事項と関連の深い民間団体に再就職する慣行。(→教p.115❷)

正誤問題 **次の文が正しい場合には○，誤っている場合には×を〔　〕に記入しなさい。**

1．内閣総理大臣は，国会の承認を得て，国務大臣を任命する。〔　　　〕

2．内閣不信任決議が出されたら，10日以内に内閣は総辞職するか，参議院を解散しなければならない。〔　　　〕

Work **教科書p.113❷「行政機構図」を参考にして，①～④の府・省の名称を答えなさい。**

① 内閣機能強化のために，内閣総理大臣を長とする機関として設置された。金融庁，宮内庁などの外局をもつ。

② 国の予算づくり，財政投融資，国際通貨システム・貿易・関税等を扱い，国税庁を外局にもつ。

③ 新型インフルエンザ対策，遺伝子組み換え食品の安全性，介護保険制度，雇用対策などを扱う。

④ 循環資源のリユース・リサイクルや，地球温暖化防止のためクールビズなども推進。

①		②		③		④	

Check! 資料読解 **教科書p.114❺「議員立法と政府立法の推移」 次の会話は議員立法と政府立法のあり方についての議論である。空欄に当てはまる語句を下の〈語群〉から選びなさい。**

ケン：国会への法案提出権は内閣と議員がもっているけど，法案数と成立率がそれぞれ半々になっているわけではないんだね。

ミキ：そうだね。〔ア　　　　〕提出法案は少なくなっている傾向があるけど，〔イ　　　　〕提出法案は比較的横ばいで推移しているよ。

ケン：確かにそうだね。直近のデータでは提出法案数が逆転しているね。

ミキ：ただ，議員提出法案成立率は近年約〔ウ　　　　〕%で推移しているのに対し，内閣提出法案成立率は約〔エ　　　　〕%で推移しているよ。

ケン：ここが原因なんだね。

ミキ：うん。専門性の高い官僚が原案を作成するから，内閣提出法案は国会で成立しやすいといわれているね。

ケン：でも，憲法第41条で「国会は，国権の〔オ　　　　　　〕であつて，国の唯一の〔カ　　　　　　〕である」としているので，それは矛盾しているよ。

ミキ：民意を反映する議員立法を増やしてほしいよね。

〈語群〉 20　50　70　90　立法機関　最高機関　内閣　議員　委員会

2 人権保障と裁判所

教科書　p.117～119

▶国民の権利と裁判

・〔①　　　　　　〕…具体的な紛争に法を適用することで裁定する国家権力
　→裁判所に属する
　　→私たちの権利が不当に侵害された場合，裁判所に訴えて権利の回復を求めることができる

・裁判所の種類…〔②　　　　　　　　　〕＋　下級裁判所

高等裁判所／地方裁判所／家庭裁判所／簡易裁判所

・審級制度＝〔③　　　　　　〕を採用
　…裁判を３回までおこなうことができる
　　※審理の慎重を期し，誤りがないようにするため

・〔④　　　　　　　　　　〕…裁判所が他の国家機関から干渉されず独立していること
　→憲法は，裁判官の独立(第76条3項)および裁判官の身分(第78条)を保障

【裁判の種類】

・〔⑤　　　　　　　〕…私人間の権利義務に関する争いについての裁判
・刑事裁判…法を適用して刑罰を科すための裁判
・行政裁判…行政を相手として権利救済を求める裁判

▶憲法の番人

・〔⑥　　　　　　　　〕
　…一切の法律・命令・規則・処分などが憲法に違反していないかどうかを判断する権限
　…立法権や行政権による基本的人権の侵害を防ぐ
　→最高裁判所が審査を最終的に確定＝「〔⑦　　　　　　　　　〕」

※〔⑧　　　　　　　　〕
　…高度に政治的な事件には〔⑥〕は及ばないとする考え方

▶国民と司法

【民主国家における裁判所】

・憲法は国民に〔⑨　　　　　　　　　　　　〕を保障し(第32条)，〔⑩　　　　　　　　〕を定めている(第82条)
・〔⑪　　　　　　　〕…最高裁判所の裁判官は，適任かどうかを国民投票により審査される(第79条2項・3項)
・〔⑫　　　　　　　　　〕…国会に設置される裁判所で，職務に違反する裁判官を訴追し辞めさせることができる(第64条)

【裁判への市民参加】

・〔⑬　　　　　　　　　〕…18歳以上の国民から選ばれた裁判員が，殺人などの重大事件の第一審で，有罪か無罪か，また，どのくらいの刑罰にするのかを，裁判官とともに決める制度
・〔⑭　　　　　　　　　〕…検察官が不起訴処分をおこなった場合，有権者からくじで選ばれた審査委員が，その処分の当否を判断する制度

〉〉〉**裁判の種類**
旧憲法下に置かれていた行政裁判所や軍法会議などの特別裁判所は，認められない(第76条2項)。
(→教p.117)

〉〉〉**〔②〕の裁判官**
長官を含め15名の裁判官で構成される。長官は，内閣の指名に基づいて天皇が任命し(第6条2項)，そのほかの裁判官は，内閣が任命する(第79条1項)。(→教p.119❷)

〉〉〉**〔⑧〕の例**
最高裁は，日米安保条約の合憲性が争われた砂川事件判決(1959年)などで採用した。(→教p.119❶)

〉〉〉**陪審制・参審制**
アメリカなどでは，有罪・無罪の判断を一般市民だけでおこない，量刑などの法律判断は裁判官がおこなう陪審制が採用されている。ドイツなどのヨーロッパ諸国では，職業裁判官と一般市民が合議体を構成して，一緒に裁判をおこなう参審制が採用されている。(→教p.119❸)

→同一の事件について審査会が再度起訴相当と判断した場合，裁判所が指定した弁護士が被疑者を起訴する制度(起訴議決制度)が新設

Work **教科書p.118～119の本文やp.120「刑事裁判と裁判員制度」を参考にして，次の図のa～eに適する語句を記入しなさい。また文中の空欄に当てはまる語句を答えなさい。**

〈裁判員制度〉

〔ア　　　〕歳以上の国民から選ばれた「〔イ　　　　　〕」が殺人などの重大事件の第一審で，〔ウ　　　　　　〕，有罪の場合どのくらいの〔エ　　　　〕にするのかを，〔オ　　　　〕とともに決める制度。原則として〔カ　　　〕人の裁判員が，3人の裁判官とともに担当する。

a	b	c
d	e	

Opinion **1次の①～⑥は，違憲審査権の行使に対する消極論(違憲審査には消極的であるべき)と積極論(積極的に違憲審査権を行使すべき)のどちらの根拠となるか，分類しなさい。**

① 国会の定めた法律を軽々に審査するのは間違っている。
② 裁判所は直接国民を代表する機関ではない。
③ 少数者の権利をしっかりと守るべきである。
④ 高度に政治的な事件については，裁判所は判断すべきではない。
⑤ 最高裁判所は「憲法の番人」としての役割を果たすべきだ。
⑥ 人権侵害を救済できるのは裁判所以外にはない。

消極論　　　　　**積極論**

2違憲審査権の行使について，次の「朝日訴訟」における裁判所の判断はどのような根拠に基づいたものであるか，最も適当なものを，下の①～④のうちから一つ選びなさい。

「憲法第25条の生存権の規定は，国民に具体的な権利を認めるものではなく，国の責務について述べているプログラム規定である。生活保護基準の決定は厚生大臣の裁量に属している。」

① すべての裁判所が違憲審査権をもっているが，裁判所は行政権の裁量の逸脱に対してその違法性を問うことはない。
② 国民を代表する国会で決定された法に基づいて行政権が行使されるというのが民主政治のルールである。
③ 少数派の意見が顧みられず，人権侵害につながる政策決定があった場合は，裁判所の判断のほうが優先される。
④ 司法は，国の立法や行政による人権侵害に対しては積極的に違憲審査権を行使すべきである。

3 地方自治

教科書　p.122〜126

▶地方自治と住民の暮らし

・〔①　　　　　　　〕…地域の運営を地域住民や公共団体がおこなうこと

公園や学校などの公共施設の建設や運営／ごみの収集や処理　など

▶地方自治の本旨

〉〉〉トックビルは，地方自治を，住民が身近な地域での政治参加を通じて，政治を経験し，主権者としての精神や能力を磨くことができる制度だとした。イギリスの政治学者ブライスは，「地方自治は民主主義の学校」だとした。(→教p.123❶)

・憲法第92条：「地方公共団体の組織及び運営に関する事項は，〔②　　　　　　　〕に基づいて，法律でこれを定める」

・〔③　　　　　　　〕…国から独立した地方公共団体が，法律の範囲内で地域の行政をおこなうこと

・〔④　　　　　　　〕…地方公共団体の活動が，住民の意思と参加に基づいておこなわれること

【地方自治の制度】

・首長や地方議会議員の公選制(第93条2項)…住民が直接選挙で首長と議会を別々に選出(〔⑤　　　　　　　〕)

・特別法に関する住民投票(〔⑥　　　　　　　〕)(第95条)

→特定の地方公共団体のみに適用される特別法を制定する場合は，住民投票の過半数の賛成が必要

・直接請求権

- ・〔⑦　　　　　　　〕…条例の制定・改廃の請求
- ・〔⑧　　　　　　　〕…首長・議員・役員の解職請求，議会の解散請求
- ・行財政についての監査請求　など

・行財政に関する情報公開

▶戦後地方自治の課題

【戦後の日本における地方自治】

・委任事務(とくに国の指揮監督のもとに国の機関としておこなう〔⑨　　　　　　　〕)の占める割合が高かった

・国の許認可や指導を受ける事項が多かった

・〔⑩　　　　　　　〕を中心とする自主財源の割合が低く，自主的な財政運営が困難で，依存財源に頼ってきた

〔⑪　　　　　　　〕	地方公共団体間の財政格差是正のため，国税の一部を地方に交付する税(使途は指定されない)
〔⑫　　　　　　　〕	事業ごとに国が使途を指定して支出する補助金，負担金などの総称
〔⑬　　　　　　　〕	地方公共団体が資金調達のために発行する公債

〉〉〉**超過負担**
国の補助金が実際の事業費用より少なく，その不足分を自治体が負担すること。(→教p.124❹)

・〔⑫〕での超過負担や，国の直轄事業での地方分担金などの問題

▶地方分権改革

・1999年：〔⑭　　　　　　　〕

…機関委任事務の廃止，地方公共団体の仕事が，

- 自治事務…地方公共団体が独自に処理できる事務
- 法定受託事務…本来，国が果たすべき役割に関連した事務　に分類

・「三位一体改革」
…国から地方への税源移譲，地方への補助金の削減，地方交付税の見直し
目的：地方財政の自立性の向上，国と地方の財政再建
→国の財政再建が優先され，地方の財源が削減
・〔⑮　　　　　　　　〕の進展（**平成の大合併**）
目的：地方財政の効率化
→不況で地域経済が衰退し，〔⑯　　　　　　　　〕に転落する自治体も
→財政再建を促す〔⑰　　　　　　　　〕が施行され，自主財源を増やすための**一括交付金制度**も一時実施

〉〉〉**住民投票**
地域の重要な問題について，住民が直接意思を表明する制度。1990年代から，原子力発電所や米軍基地，産業廃棄物処理施設などの受け入れをめぐる住民投票が，各地の自治体に広がった。その後，〔⑮〕や自治基本条例に基づく常設的な住民投票も増えている。（→教p.126）

▶新しい地方自治

・〔⑱　　　　　　　　〕…独自の理念・原則，自治体運営の基本ルール
→地方分権にともない**自治立法**の考え方が定着しはじめる

Check! 資料読解　**1教科書p.122 1「地方公共団体の組織と住民の権利」　地方公共団体の長と議会はどのように選ばれるか，教科書p.110 1「日本の権力分立（三権分立）」と比較して，次の文章の空欄に当てはまる語句を記入しなさい。**

国会議員は，国民の代表として〔ア　　　　〕によって国民に直接選ばれるが，行政の長（内閣総理大臣）は，国会議員のなかから，国会の議決で〔イ　　　　〕される。一方，地方公共団体においては，行政の長（首長）と地方議会の議員は，〔ウ　　　　〕によって住民に直接選ばれる。

2教科書p.124 3「地方財政の歳入構成」　団体自治の観点から何が課題であるか，空欄に当てはまる語句を記入しなさい。

〔　　　　　　〕で歳入をまかなえていないこと。

Opinion　**「原子力発電建設」をテーマに，国と地方自治のあり方をめぐる次の二人の会話文中のア・イに当てはまるものはどれだろうか，最も適当なものを，下の①～④のうちから一つずつ選びなさい。**

ケン：原子力発電所がなくなると，日本のエネルギー供給は不足するのではないかな。原子力発電は二酸化炭素の排出量も少ないよ。
ミキ：事故が起きたとき，まず被害を受けるのは地域住民だよ。再生可能エネルギーの開発を追求すれば，安全につながるし，新たな雇用も生まれるのではないかな。
ケン：それは大事だとは思うけど，全体のバランスを見ていくべきだよ。そのためには行政が責任をもって調査をし，どのようなエネルギー政策をとるべきかを住民・国民に示すべきだね。エネルギー政策は国全体の課題だから，（　ア　）だと思う。
ミキ：どのような発電にも完全な安全はないのではないかな。地域住民の合意に基づく選択がなされるべきだと思う。だからこそ，私は（　イ　）だと思うよ。

①　原子力発電建設については，住民投票をおこなったうえで，国民投票で決定すべき
②　原子力発電建設については，住民の意見が尊重されるべきで，住民投票に拘束力をもたせるべき
③　原子力発電建設については，住民の意思表示によるのでなく，エネルギー政策に責任をもつ国が決定すべき
④　原子力発電建設については，住民の幸福が最大化するような政策を政府が選択すべき

ア［　　］　イ［　　］

4 選挙と政党

教科書　p.130〜136

▶民主政治と選挙の役割

・民主政治の根幹…選挙
→選挙のしくみで民主政治のあり方が決まる

▶選挙の基本原則

・かつておこなわれていた〔①　　　　　　　〕…身分・財産・性別などで選挙権・被選挙権を制限

【現在の選挙の原則】

・〔②　　　　　　　〕…一定の年齢に達した国民に参政権を保障
・〔③　　　　　　〕…投票の価値に差を設けない
・〔④　　　　　　〕…投票の自由を保障

▶日本の選挙制度の現状

・議員定数の不均衡…各選挙区の議員定数と有権者数の比率の不均衡
→平等選挙の原則に反するとして，訴訟が続いている

【現在の選挙制度】

2015年：〔⑤　　　　　　　　〕の改正
→選挙権年齢の20歳から18歳への引き下げ，投票時間の延長など
※1994年の〔⑤〕改正により，連座制の強化

▶選挙制度の種類

・〔⑥　　　　　　　〕

> 選出方法：国民が政党に投票し，各政党の得票率に応じて議席数を配分
> 特徴：多様な意見が政治に反映されやすい，小政党が乱立しやすい

・〔⑦　　　　　　　〕

> 選出方法：一つの選挙区から1名の代表者を選出
> 特徴：〔⑧　　　　　〕が多くなる，大政党に有利

・〔⑨　　　　　　　〕

> 選出方法：一つの選挙区から2名以上の代表者を選出
> 特徴：〔⑧〕が少ない，小政党からも代表者を出せる

・衆議院議員選挙→〔⑥〕＋〔⑦〕＝〔⑩　　　　　　　　　　　〕
・参議院議員選挙→〔⑪　　　　　　　　　　　〕＆選挙区選挙

▶政党の役割と政党政治

・〔⑫　　　　　〕…政治に関して共通の意見や理念をもった集団
→政策やマニフェストを掲げて，政権獲得をめざす
・〔⑬　　　　　〕…選挙で議会の多数を占め，政権を担当する〔⑫〕
・〔⑭　　　　　〕…政権を批判し，対案を示して政権獲得をめざす〔⑫〕

【政党政治のタイプ】

・一党制…〔⑫〕が一つ

〉〉〉**国民投票法**
2007年に成立し，憲法改正に関する国民投票の投票権年齢を18歳とした。

〉〉〉**議員定数不均衡への対策**
次回の衆議院議員選挙より，都道府県の人口比率を反映した議席配分法(アダムズ方式)が導入される。「1票の格差」是正が期待される一方で，地方の声が届きにくくなるという懸念もある。(→教p.131❶)

〉〉〉**連座制**
候補者の関係者が選挙犯罪を犯した場合，候補者自身がかかわっていなくても，当選無効や立候補制限を課す制度。1994年の改正で，連座対象に，秘書や組織的選挙運動管理者が加えられ，その選挙区からの立候補が5年間制限されることとなった。(→教p.131❷)

〉〉〉**〔⑪〕**
比例代表選挙で，政党は順位を付けない候補者名簿を示し，有権者は政党名か個人名のいずれかで投票する。政党は，政党名，個人の得票の総計に応じて獲得議席が決まり，候補者は個人名の得票数で順位が決まる。知名度の高い候補を抱える党が有利になる面がある。(→教p.133❷)

〉〉〉**マニフェスト**
選挙の際に，政党が掲げる公約(選挙公約)。有権者に政策本位の判断を促すことを目的とし，政策実施に必要な具体的な財源や，いつまでに実現するかという期限が示されなければならないとされる。(→教p.133❸)

・〔⑮　　　　　　　　　〕…二つの有力な〔⑫〕が対抗(アメリカなど)
・〔⑯　　　　　　　〕…三つ以上の有力〔⑫〕が競争(フランス，イタリアなど)

▶戦後の日本政治

1955年～	〔⑰　　　　　　　　　〕の成立…保守政党と革新政党が保守優位のもとで対抗しあう→自民党が政権維持
1993年	非自民連立政権(細川内閣)の誕生 →小選挙区比例代表並立制の導入，政治資金規正法の改正，〔⑱　　　　　　　　　〕の制定などの政治改革
2009年	民主党が衆議院議員選挙で大勝(政権交代)
2012年	自民党が衆議院議員選挙で勝利(政権交代) 2014，17，21年の総選挙でも勝利

〉〉〉**政党政治**
政党の対立や連合を通して動く政治のあり方。

〉〉〉**〔⑱〕の制定**
政党の活動を助成するために，一定の条件を満たした政党に国庫から資金(政党交付金)が交付されるようになった。交付金は，国会議員数の割合や得票率によって各党に配分される。(→教p.135❸)

Check! 資料読解 **1教科書p.130❶「各国の普通選挙制の採用」 p.56❶「各分野における女性の割合の国際比較」を参考にして，次の文中のア～ウに入る適切な語句を選び，文章を完成させなさい。**

日本は欧米諸国と比べ，女性の参政権が認められるのが（**ア**　早く　・　遅く　），2023年における女性の国会議員の割合も（**イ**　高い　・　低い　）。最も割合が高いスウェーデンの（**ウ**　４分の１　・　６分の１　）以下の水準である。

2教科書p.135❻「戦後の主な政党の系譜」 p.136Seminar「選挙から見た日本の政党政治の現状」を参考にして，55年体制が崩壊し，政治改革がはじまって以降の特徴について説明した次の文章の空欄に当てはまる語句を記入しなさい。

政治改革は，〔**ア**　　　　　　　〕を中心とする政党間の競争によって，〔**イ**　　　　　　　〕のある民主主義の実現をめざすもので，2000年以降は〔**ウ**　　　　〕党と〔**エ**　　　　〕党の〔**ア**〕体制へ向かう傾向が生じたが，近年は〔**オ**　　　　〕の結集が進まず，〔**カ**　　　　　〕の分立も目立つ。

Exercise **より公正な選挙制度について，次のア～エの選択・判断に基づくと，どのような制度が望ましいことになるのか，それぞれについて，最も適当なものを，下の①～③のうちから一つずつ選びなさい(同じ番号を何回用いてもよい)。**

ア　死票が多いということは民意が多く反映されないことなので，死票が極力なくなるほうがよい。
イ　政治は個人ではなく政党を中心にしておこなわれるべきであり，多くの政党が議席をとることは多様性を生みだすことになる。
ウ　信頼できる候補者に自由に投票できる制度が望ましく，いろいろな考え方をもつ人がいる政党に対して投票するのはおかしい。
エ　死票が少ないこと，大政党が安定した政治をおこないやすくなること，この２点の長所を備えた制度が望ましい。

①　小選挙区比例代表並立制で，重複立候補が可能なもの
②　小選挙区制のみで比例代表制をともなわないもの
③　比例代表制のみで小選挙区制をともなわないもの

ア	イ	ウ	エ

5 政治参加と世論

教科書　p.137～139

〉〉〉**ロビイング**
〔①〕などが議会外で政策決定に影響を与える活動。アメリカでは利益集団の代理人であるロビイストの政治家への働きかけが公認されている。

▶利益集団と大衆運動

・〔①　　　　　　〕…経営者団体や職業団体など，共通の利害のもとに組織された利益集団

・〔②　　　　　　〕…より広い階層の意見・信条・利益や，特定の社会問題について，社会や政治に訴える

→近年は，特定の問題だけについて活動する〔③　　　　　　〕が増加

▶情報化時代のメディアと世論

・〔④　　　　〕…公的なことがらに関する人々の意見

←新聞やテレビなどの〔⑤　　　　　　〕や，ソーシャル・ネットワーキング・サービス（〔⑥　　　　〕）が〔④〕形成に大きな影響を及ぼす

▶政治参加の停滞と新たな可能性

【近年の問題】

・投票率の低下
・支持政党のない〔⑦　　　　　　〕の増加

⇐

・政治的無関心や政党離れの拡大
・有権者と政党の結びつきが弱まった
・多くの国民が投票の効果に限界を感じている

【政治参加の停滞を打破する新たな可能性】

・市民活動，ボランティア活動，住民投票，インターネットを通じた情報の受発信

▶市民社会とガバナンス

・NPO…福祉，保健，街づくりなどの分野で，営利を目的とせず，公益の実現をめざして活動する団体

1998年
〔⑧　　　　　　　　　　〕の成立
→NPOに法人格を認めて，その活動を支援することが目的

⇩

政府と市民団体が協働して公共政策を作り実施する〔⑨　　　　〕がこれまで以上に必要

Work 1有権者の選挙運動として認められているものを，次の①～③のうちから一つ選びなさい。

① 特定の候補者への投票を呼びかけるメールを，知人に送信する。

② 選挙公報などを見て分析した争点のまとめと自分の考えを，ブログで公開する。

③ 特定の候補者への投票を呼びかけるビラを配布して，アルバイト代をもらう。

2高校生の選挙運動として適切なものを，次の①～③のうちから一つ選びなさい。

① 自分が18歳になったので，高校1年生の後輩に手伝ってもらって選挙運動をする。

② 投票日が部活動の試合日程と重なってしまったので，それを理由に期日前投票をする。

③ 自分と同じ政党を応援している社会人の先輩に頼まれて，選挙活動に使用するために自分が所属する部活動の部員の連絡先を教える。

Check! 資料読解 教科書p.138 1「国政選挙における投票率の推移」 次のX・Yは，投票率が高いときに何が起きているのかを説明したものである。その正誤の組合せとして正しいものを，p.136 7「衆議院議員総選挙における政党別議席数の割合の推移」も参考にして，下の①～④のうちから一つ選びなさい。

X 2014年の第47回選挙や，2017年の第48回選挙のように，投票率が低い選挙では，議席数の割合に大きな変動は生じない。

Y 2009年の第45回選挙のように，投票率が高い選挙では，政権交代が起きている。

① X－正 Y－正 ② X－正 Y－誤
③ X－誤 Y－正 ④ X－誤 Y－誤

Active 教科書p.139「どうすれば民意が国政に反映されるか」と教科書p.139のグラフ「国の政策への民意の反映」を参考にして，政府がおこなうべきこと，国民がおこなうべきことについて考えてみよう。

政府がおこなうべきこと	国民がおこなうべきこと

TRY! 政治をよくするために，市民としてなすべきことは何か，考えてみよう。

章末問題　第2編第2章　# 日本の政治機構と政治参加

教科書　p.108～145

Check ✓ 重要用語

1．政治機構と国民生活

❶国民が選んだ代表者によって構成される議会を通じて，国民の意思を決定する政治のあり方。　❶

❷権力の濫用を防ぎ，国民の権利を守るために，国家権力を立法権，行政権，司法権の三つに分けること。　❷

❸憲法には，国会は「唯一の立法機関」であるとともにどんな機関であると明記されているか。　❸

❹国会の議決は，原則として衆参両院の一致によって成立するが，両院の議決が異なったとき，国会の意思決定を円滑におこなうために，衆議院の議決をもって国会の議決とすること。　❹

❺国会がもつ，国政に関する事項について調査をおこなう権限。　❺

❻政党に所属する議員は政党の決定に従うべきだとする考え。　❻

❼議会の信任に基づいて内閣が組織され，内閣が国会に対して責任を負う制度。　❼

❽内閣から独立して公正・中立な行政運営を確保するために置かれる合議制の機関。　❽

❾国務大臣を任免して閣議を主宰し，内閣を代表して行政機関の指揮監督をおこなう役職。　❾

❿2008年に制定された，内閣人事局による幹部人事の一元管理を盛り込み，縦割り行政の弊害の是正と，官僚主導の政治の転換をはかる法律。　❿

⓫高級官僚などが，退職後に，勤務していた官庁と関連する民間団体に再就職すること。　⓫

2．人権保障と裁判所

⓬裁判は政治的な圧力や干渉を受けずに，法に基づいて公正におこなわなければならないとする原則。　⓬

⓭司法権の独立を守るため，裁判官は良心に従って独立して裁判をおこない，憲法と法律のみに拘束されるという原則。　⓭

⓮法律や命令などの国家の行為が，憲法に違反していないかどうかを審査する権限。　⓮

⓯裁判の争点において，本来，国会や内閣にまかされるべき事項については，違憲審査権は及ばないという考え方。　⓯

⓰最高裁判所の裁判官が適任かどうかを国民の投票によって審査すること。　⓰

⓱衆参両院議員で組織され，ふさわしくない行為をした裁判官を審査し，辞めさせることができる裁判所。　⓱

⓲司法制度改革の一環として2009年から実施されている，市民も参加する，刑事裁判の制度。　⓲

3．地方自治

⓳地域において，住民が健康で文化的な生活を送るために必要な公的サービスの水準。　⓳

⓴国に対して地方公共団体が独自の権限をもって，その地域の行政をおこなうこと。　⓴

㉑住民が選挙した首長や議会を中心に，地域の政治を住民自らの意思に基づいておこなうこと。　㉑

㉒地方自治において，住民が首長と議会をそれぞれ直接選ぶことができる制度。 ㉒

㉓地方公共団体の間にある財政格差を是正するために，国税の一部を地方に交付する税。 ㉓

㉔政治的な機能をできるだけ地方に分散させるため，機関委任事務の廃止などを内容とする，1999年に成立した法律。 ㉔

㉕地方議会で定めた条例によっておこなわれ，法的な拘束力はもたないが，その地方で重要な争点になっている問題について，投票によって住民の意思を政治に反映させようとする方法。 ㉕

4．選挙と政党

㉖候補者の関係者が選挙犯罪を犯した場合，候補者自身がかかわっていなくても，当選無効や立候補制限を課す制度。 ㉖

㉗落選者に投じられた，議席に生かされない票。 ㉗

㉘選挙制度に関する法律で，普通，平等，直接，秘密などの原則を保障する一方，選挙運動の制限などを明記している法律。 ㉘

㉙１選挙区から２名以上の議員が選出される選挙区制。 ㉙

㉚１選挙区から１名の議員が選出される選挙区制。 ㉚

㉛政党の得た得票総数に比例した数の議員を選出する方法。 ㉛

㉜1994年から衆議院選挙に導入された，小選挙区制と比例代表制を組み合わせた選挙制度。 ㉜

㉝政治上の主義や政策において一致し，国民的利益の実現をめざして結成された団体。 ㉝

㉞政権を担当しておらず，政権に対する批判勢力としてチェック機能の役割を果たしている政党。 ㉞

㉟政党の対立や連合を通して動く政治のあり方。 ㉟

5．政治参加と世論

㊱資金力や組織力を用いて政党や政治家に圧力をかけ，自分たちの利益を促進しようとする集団。 ㊱

㊲新聞，テレビなど，大量の情報を大衆に伝達するためのもの。 ㊲

㊳選挙に際し，その動向が注目される，特定の支持政党をもたない人々のこと。 ㊳

㊴福祉，保健，街づくりなどの分野で，営利を目的とせず，公益の実現をめざして活動する団体。 ㊴

演習問題

1 日本の国会に関する記述として最も適当なものを，次の①～④のうちから一つ選べ。

① 国会の議決により，内閣総理大臣および国務大臣は指名される。

② 国会改革の一環として，副大臣による答弁が廃止され，政府委員による答弁が導入されている。

③ 国会は，法律や政令を制定する権限を有する。

④ 国会の両議院は，それぞれ，立法に関する事項や行政機関の活動が適切に行われているかなどを調査するため，国政調査権を有する。

(2013年センター試験現代社会本試)

2 日本の内閣についての憲法の規定に関する記述として，最も適当なものを次の①～④のうちから一つ選べ。

① 内閣総理大臣は，国務大臣を任意に罷免することができない。

② 内閣総理大臣が任命する国務大臣の過半数は，衆議院議員でなければならない。

③ 内閣は，衆議院で不信任決議案が可決された場合，衆議院が解散されない限り，総辞職しなければならない。

④ 内閣が作成した予算は，参議院よりも先に衆議院に提出してはならない。

（2018年センター試験現代社会追試）

3 裁判員制度の概要を記述した次の文章中の［ア］～［ウ］に入る語句の組合せとして最も適当なものを，下の①～⑧のうちから一つ選べ。

日本の裁判員制度とは，国政選挙の有権者から，［ア］選ばれた裁判員が［イ］について，裁判官と共に事実を認定し，評決をする制度である。裁判員に選ばれた者は正当な理由がない限り辞退することはできないが，学生などには一般に辞退が認められている。裁判員には審理への出頭義務や［ウ］が課せられ，これらの義務違反に対しては罰則も設けられている。

① ア 選挙によって　イ すべての刑事事件　ウ 氏名の公表義務

② ア 選挙によって　イ すべての刑事事件　ウ 守秘義務

③ ア 選挙によって　イ 特定の刑事事件　ウ 氏名の公表義務

④ ア 選挙によって　イ 特定の刑事事件　ウ 守秘義務

⑤ ア 無作為に　イ すべての刑事事件　ウ 氏名の公表義務

⑥ ア 無作為に　イ すべての刑事事件　ウ 守秘義務

⑦ ア 無作為に　イ 特定の刑事事件　ウ 氏名の公表義務

⑧ ア 無作為に　イ 特定の刑事事件　ウ 守秘義務

（2009年センター試験現代社会本試）

4 日本の地域社会や地方自治に関する記述として最も適当なものを，次の①～④のうちから一つ選べ。

① 地方自治体の財源のうち国庫支出金は，使途が定められていない一般財源に含まれる。

② 地方分権を進める目的で，地方分権一括法によって法定受託事務が廃止された。

③ 地域経済を活性化させることなどを目的とした地域通貨の発行業務も，日本銀行が担当している。

④ 国による規制が緩和されるなどの特例的な措置が適用される構造改革特区の認定を受けた地方自治体がある。

（2014年センター試験現代社会本試）

5 SNSの時代に生きる私たちにとっての「メディアリテラシー」について，次の問いに答えなさい。

問1　SNS上を多くの発言や情報が飛びかう時代に生きる私たちは，多くの情報を受け取るとともに，発信もしています。

右のグラフに示されている「情報を拡散する基準」を参考にしながら，次の文の空欄に適する語句を答えなさい。

「(　ア　)事実よりも，(　イ　)に訴えかけるほうが，世論形成に大きな影響を与える状況がある。」

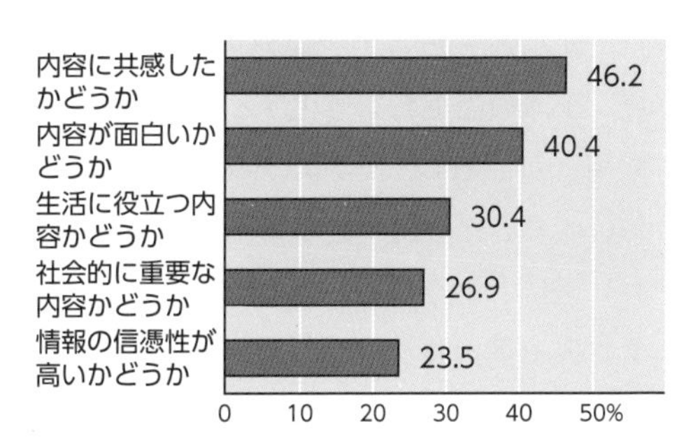

↑ソーシャルメディアで情報を拡散する基準

ア	イ

問2　「フェイクニュース」について説明した，次の文の空欄に適する語句を答えなさい。

「「フェイクニュース」は(　ア　)を含む問題のある情報をさす場合と，政権や独裁者が(　イ　)を批判する際に用いる場合がある。」

ア	イ

問3　「情報が拡散」したり，「フェイクニュース」が飛びかうことによって，引き起こされる問題の一つとして，「世論の分断化」があります。分断化が進むレポートを取り上げた，次の①～⑧のなかの空欄に適する語句を，答えなさい。

① 自分の気に入った情報のみに接する。
② 「検索サイト」は，その人物が好む情報を(　ア　)する仕組みをもつ。
③ 似たような情報ばかりに接する。
④ (　イ　)の多様性に背を向ける。
⑤ 同じような思考の持ち主が集まる。
⑥ (　ウ　)な集団を形成しやすい。
⑦ 相互の考えを理解することなく，互いを罵倒する言葉を投げかける。
⑧ 「(　エ　)騒ぎ」を起こし，「世論の分断化」が進む。

ア	イ	ウ	エ

問4　報道機関には「社会の公器」として，公正で正確な情報を国民に伝える社会的責任が求められていますが，取り扱う発言や情報について，事実に照らしてその真偽を検証することを何というか，答えなさい。

問5　「世論の分断化」を克服するうえで，情報の受け取り方として大切なことは何ですか，問3のレポートを参考にしながら考えてみよう。

6 次の文章を読み，空欄AとBに入る語句をそれぞれ記号で答えなさい。

こんにちの日本の衆議院の選挙制度は，小選挙区比例代表並立制である。小選挙区制は各選挙区から，1人の当選者を選出する選挙制度である。当選者が1人しかいないため，各選挙区で1票でも多い候補者が当選し，それ以外の候補者に投じられた票は議席に反映されない。これを(A)と呼ぶ。この(A)の多さが小選挙区制の短所とされる。しかし，小選挙区制は一般に二大政党制になりやすいといわれ，(B)という長所があるとされる。

Aに入る選択肢

① 無効票　② 死票　③有効票　④ 組織票

Bに入る選択肢

① 少数の意見が議席数に反映されやすい　② 政治的無関心を招きやすい

③ 政権が安定しやすい　④ 族議員が生まれやすい

A [　　]　B [　　]

7 架空の政党であるA～D党の選挙公約(政策)を読み，それらを分析して，次の問いに答えなさい。

A党の選挙公約

・平和憲法の理念を生かして，非軍事的手段による世界への貢献(こうけん)をめざす。
・富裕層と大企業に対して増税し，社会保障の充実をはかる。
・原子力発電所の再稼働(かどう)に反対。日本の原発を即時に廃止(はいし)すべき。
・夫婦別姓を積極的に推進。

B党の選挙公約

・地方分権や二院制など，憲法を改正して，積極的に統治(とうち)機構を改革する。
・消費を刺激し，景気を回復することを最優先すべきで，増税はすべきでない。
・原発再稼働は慎重(しんちょう)に。むしろ再生可能エネルギー普及(ふきゅう)を推進する。
・特別な理由がある場合には夫婦別姓を認める。

C党の選挙公約

・憲法改正により防衛力を強化し，日本の領土と国民を守る。
・消費税増税により国家の財政破綻(はたん)を防ぎ，収支のバランスを回復する。
・審査(しんさ)に合格した原発は再稼働させる。原発技術の輸出も推進すべき。
・夫婦別姓は日本の伝統に反するので反対。

D党の選挙公約

・平和主義は維持するが，時代の必要にあわせて権利を加えるなど，憲法改正は必要。
・消費税増税は，極力国民の負担が増えない方策で実施する。
・審査に合格した原発は再稼働させてもよいが，新規の建設には反対。
・夫婦同姓を維持するが，通称使用を幅(はば)広く認める。

問1　各政党の選挙公約(政策)を，争点の要素別に簡潔に整理し，下の表を完成させなさい。

	A党	B党	C党	D党
憲法改正				
財政改革 消費税の扱い				
原子力・エネルギー政策				
夫婦別姓の扱い				

問2　あなたならば，どの政党に投票しますか。

党

問3　問2の政党を選んだ理由を話しあってみよう。

(あなたの意見)

(他の人の意見)

問4　架空選挙の結果，いずれの政党も議会で過半数を獲得することができず，「連立」を組む必要が生じたとします。各政党の選挙公約(政策)を「マトリックス表」などを用いて分析し，政策上の「合意」が可能な二つの政党を選択し，その「合意」内容を答えなさい。

①「連立」が可能と考える二つの政党

党	党

②二つの政党の政策上の「合意」内容

1 経済社会の形成と変容

教科書　p.148〜151

▶経済とは

・経済…生産から消費に至る一連の社会活動

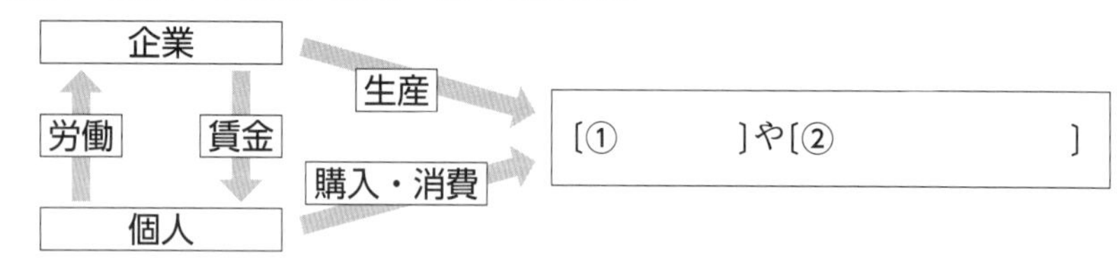

・〔③　　　〕…有限な資源を配分する際，ある用途に使えば別の用途には使えないというような関係

→経済において，選択の問題が最も重要

【資本主義の経済体制】

・資本主義…多くの国で採用されている経済体制

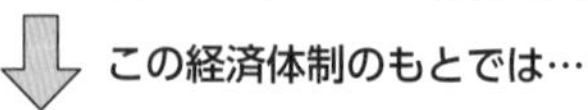

〔④　　　〕における価格の働きが，社会全体として資源の配分を調整し，その結果生産された財の分配を調整

▶資本主義経済の成立

【資本主義経済の特徴】

・機械や原材料などの〔⑤　　　〕を認める

・ほとんどの財・サービスが商品として生産される＝労働力の〔⑥　　　〕

・私企業による〔⑦　　　〕の自由を認める

【資本主義経済の成立と発展】

・産業革命を経た19世紀なかばのイギリスで確立

→自由競争的資本主義(産業資本主義)

・経済学者〔⑧　　　〕は，分業による利益を説き，自由競争が需要と供給を自動的に調整するしくみを明らかにした

▶独占と寡占

19世紀末：製鉄業における技術革新

20世紀：重化学工業の発展→資本の集積・集中によって生まれた大企業が市場を支配＝〔⑨　　　〕

▶混合経済

1929年：世界大恐慌

1930年代：慢性的な大不況と大量失業

経済学者〔⑪　　　〕は，政府は積極的に経済に介入すべきだと主張

→市場への自由放任(レッセ・フェール)にかわる，政府介入による〔⑫　　　〕の考え方

→アメリカの〔⑬　　　〕も同じ考え方

→民間・公共部門からなる〔⑭　　　〕が成立＝「大きな政府」

〉〉〉**生産の三要素**
土地(天然資源)・労働力・資本を生産の三要素という。(→教p.148❷)

〉〉〉産業革命によって主な生産の仕方はマニュファクチュア(工場制手工業)から機械制大工業にかわり，大規模な生産のため多くの労働者が工場で働くようになった。

〉〉〉**機会費用**
ある行動を選択することは，別の行動をとったときに得られた利益をあきらめることである。
選択しなかった機会から得られたはずの便益のうち，最大のものを機会費用という。(→教p.148❸)

〉〉〉**技術革新**
オーストリア出身の経済学者シュンペーター(1883〜1950)は，新製品の開発や新たな生産方式の導入などのイノベーションこそが資本主義経済発展の原動力であると説いた。(→教p.149❷)

〉〉〉**有効需要**
単なる欲望ではなく金銭的な支出をともなった欲望，つまり物を買うための貨幣支出を需要という。また，社会全体の経済活動の水準は需要の大きさによって決まるとするケインズの考え方を，**有効需要の原理**という。(→教p.149❹)

▶現代の資本主義

1960～70年代	・大量失業や貧困は減少 ・インフレーションやスタグフレーション，公害などの問題
1970年代後半	・「〔⑮　　　　　　〕」の主張が登場…フリードマンらによる〔⑯　　　　　　〕が代表的理論
1980年代	・イギリスのサッチャー政権やアメリカのレーガン政権による〔⑰　　　　　　〕…規制緩和や国営企業の民営化など
1989年～	・冷戦が終結し，市場経済が世界全体に広まる →ヒト・モノ・カネ・情報が国境をこえて自由に行きかう経済の〔⑱　　　　　　〕(グローバリゼーション)が進展

▶社会主義経済の形成と変容

・ドイツの思想家〔⑲　　　　　　〕…資本主義の矛盾を克服して自由で平等な社会を実現するものとして社会主義を主張

・中国は，〔⑳　　　　　　〕のスローガンのもと，経済特区を設けて外国資本を導入するなど，開放と自由化を進めた(〔㉑　　　　　　〕政策)

〉〉〉**ニューディール政策**
F.ローズベルト大統領がおこなった経済政策。TVA(テネシー川公社)などの公共事業や社会保障など，政府の積極的関与によってアメリカ経済の復興をはかった。(→教p.150❶)

〉〉〉〔⑮〕
「夜警国家」とも呼ばれる。また，「大きな政府」は「福祉国家」とも呼ばれる。

〉〉〉社会主義経済では，生産手段が社会的に所有され，中央当局の計画に基づき，社会全体の資源配分がおこなわれるのを原則とする(計画経済)。

Check! 資料読解 **1 教科書 p.150 2「資本主義と社会主義の変遷」 効率・自由を重視する経済(考え方)をX，公平・平等を重視する経済(考え方)をYとしたときに，正しい組合せを選択しなさい。**

① X－産業資本主義　Y－新自由主義
② X－産業資本主義　Y－社会主義経済
③ X－社会主義　Y－修正資本主義
④ X－社会主義　Y－社会主義市場経済

[　　]

2 教科書 p.151 3「政府の規模と公務員の割合の国際比較」 日本は大きな政府なのか，小さな政府なのかを考え，下の文中の空欄ア・イに入る適切な語句を選び，文章を完成させなさい。

日本は他の主要国と比べ，一般政府支出の対GDP比，労働力人口に占める公務員の割合がいずれも(ア　低く　・　高く　)，政府は積極的に経済に介入しているとはいえないため，日本は(イ　小さな政府　・　大きな政府　)であるといえる。

Exercise 次のア～エの政策は，「小さな政府」と「大きな政府」のどちらが望ましいという考え方に立っているのか，最も適切なものを下の①，②のうちからそれぞれ一つ選びなさい(同じ番号を何回用いてもよい)。

ア 企業に対する課税税率を下げる。
イ 公共事業への財政支出を減らし，国債発行を減らす。
ウ 社会保障制度を充実させ，国民生活の安定をめざす。
エ 政府による規制をなくし，市場における自由競争を活性化させる。

① 「小さな政府」　② 「大きな政府」

ア	イ	ウ	エ

2 市場のしくみ

教科書　p.152〜157

〉〉〉**市場**
財やサービス，労働力，資金などの取引がおこなわれる場が市場であり，それぞれ商品市場，労働力市場，金融市場などと呼ばれる。(→教p.152❶)

〉〉〉〔⑬〕
1947年に制定された。1997年には持株会社の解禁，1999年には1953年以来認められてきた不況カルテル・合理化カルテルの再度禁止，2005年には課徴金の引き上げなどの改正がおこなわれた。(→教p.156❸)

▶三つの経済主体

現代の経済：市場を中心に生産と消費が結びつく

→三つの経済主体からなる

・〔①　　　　　〕…家計からの労働力を用いて財・サービスを生産

・〔②　　　　　〕…労働力を提供して賃金を得て，市場で財・サービスを購入

・〔③　　　　　〕…家計や企業から税金を徴収し，財・サービスを供給

▶市場の自動調整作用

・市場の〔④　　　　　　　　〕…市場での価格の動きによって，需要と供給が自動的に調整されるしくみ

←経済学者アダム＝スミスは，「〔⑤　　　　　　　　〕」と表現

▶需要・供給の法則

・商品の価格が上がれば，生産者は供給量を増やし，消費者は購入量を減らす

・商品の価格が下がれば，生産者は供給量を減らし，消費者は購入量を増やす

需要量と供給量が一致する点で価格が決まる＝市場の効率性

▶市場の寡占化

【企業の性質】

・生産規模の拡大によって〔⑥　　　　　〕の利益を得ようとする

・市場の〔⑦　　　　　〕を高めようとする

少数の企業のみが生き残る〔⑧　　　　　　　　〕市場に

【寡占市場の特徴】

・企業どうしの協定により価格を決める〔⑨　　　　　　　〕

・プライスリーダー(価格先導者)に他の企業が追随して価格を決定＝〔⑩　　　　　　〕

→価格は下がりにくくなる傾向がある(価格の〔⑪　　　　　　　〕)

・デザインやアフターサービスなどの製品の差別化による，価格以外での競争(〔⑫　　　　　　　〕)が激化→消費者が不利益を被ることも

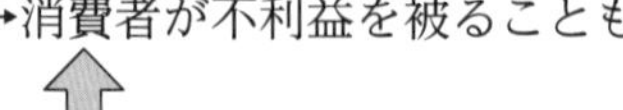

〔⑬　　　　　　　　〕による規制…企業間の公正な競争の促進

←〔⑭　　　　　　　　〕による監視

▶市場の失敗

・〔⑮　　　　　　　　　　　　　〕…公害や環境破壊など，市場の外で生じる社会的なマイナス効果

・〔⑯　　　　　　〕(道路や公園など)…非競合性と非排除性の性質から，民間企業による供給を期待できない

⇧

〔⑮〕や〔⑯〕などの〔⑰　　　　　　　　〕→政府の介入が必要

〉〉〉**情報の非対称性**
売り手と買い手の間で，一方はその商品やサービスのことをよく知っているが，他方はあまり知らないとき，情報の非対称性が存在しているという。

正誤問題　**次の文が正しい場合には○，誤っている場合には×を〔　〕に記入しなさい。**

1．財やサービスが取引される場所を金融市場という。〔　　〕

2．環境問題などの外部不経済は，市場メカニズムが機能しない市場の失敗の一例にあげられる。〔　　〕

3．プライスリーダーが出て価格競争が回避されるようになると，広告・宣伝・サービスなどの非価格競争が強化される。〔　　〕

4．企業どうしが合併によって一体化し，独占的な支配力を得ようとすることをカルテルという。〔　　〕

Check! 資料読解　**1 教科書 p.152 1「経済主体の相互関係」 次の財・サービスを，企業が提供するものと政府が提供するものとに分類しなさい。**

道路　衣服　防衛　遊園地　美容院　消防

企業が提供	政府が提供

2 ある商品の需要と供給が次の表に示されるような場合，右の図中に需要曲線，供給曲線を書き入れなさい。また，以下の文中のA～Dに入る適切な語句を，それぞれ選びなさい。

価格(円)	80	130	200
需要量(個)	1500	1000	500
供給量(個)	500	1000	1500

市場における需要・供給の変化によって，均衡価格は変化する。一般に需要曲線は，所得の向上やブーム(流行)が到来した場合には，〔A　左　／　右　〕の方向に移動し，新たな均衡価格は〔B　上昇　／　下落　〕する。

一方，供給曲線は，たとえばこの商品が農作物だとすると，不作や間接税の増税などの場合に，〔C　左　／　右　〕の方向に移動し，新たな均衡価格は〔D　上昇　／　下落　〕する。

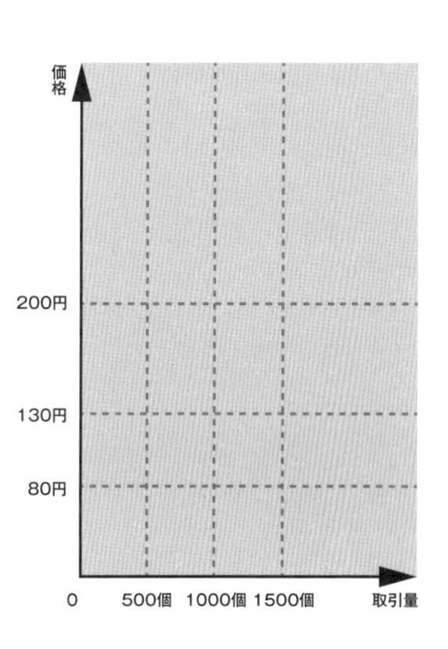

TRY!　**「市場の寡占化」「市場の失敗」が起こると何が問題なのか，効率と平等のトレードオフを踏まえて，公正や平等の観点(教科書 p.42，53)から考えてみよう。**

3 現代の企業

教科書　p.158〜160

▶企業とは

【企業の分類】

・〔①　　　　　　〕…国や地方公共団体が資金を出して運営

・〔②　　　　　　〕…民間の個人や法人が資金を出して運営

→このうち，会社法に基づいて設立された法人が会社

▶株式会社の経営と組織

【株式会社の資金調達】

・〔③　　　　　〕の発行→広く株主から出資を受ける

株主の権利
・利潤のなかから配当金を受け取る　　・株主総会への出席
株主の責任
・出資額の範囲で債務負担(〔④　　　　　　〕)

・社債の発行

【2種類の資本】

・〔⑤　　　　　　〕…返済の義務がない株式など

・〔⑥　　　　　　〕…返済の義務がある社債や金融機関からの借り入れなど

【株式会社の目的】

・利潤の追求

=企業の売上高－人件費－原材料費－減価償却費など

→利潤の使い道

・株主への〔⑦　　　　〕

・将来のための蓄積(〔⑧　　　　　〕)

・規模拡大のための設備投資

・技術革新のための研究開発(R&D)

【現代の株式会社】

・〔⑨　　　　　　　　　　　　〕…資本の所有者ではない経営者が会社の実権を握る

【近年の傾向】

戦後：会社の経営は株主(〔⑩　　　　　　　〕)の利益を最優先とするより，利害関係者(〔⑪　　　　　　　〕)の利益を重視すべきという考え方が根強かった

↓

近年：高配当の維持やキャピタルゲインの実現など，株主の利益を最大化することが重視

・〔⑫　　　　　　　　　　　　　　〕によって経営者を監督

・企業情報の開示(〔⑬　　　　　　　　　〕)

〉〉〉**会社の種類**
・合名会社…無限責任社員だけからなる。
・合資会社…無限責任社員と有限責任社員からなる。
・合同会社…有限責任社員からなるが，内部ルールを自由に定めることができる。
※出資者のうち会社の債務に全責任を負う者を無限責任社員，出資額を限度に責任を負う者を有限責任社員という。(→教p.159❶)

〉〉〉**減価償却費**
建物や機械などの生産設備は耐用年数が過ぎれば更新されるが，生産者がこの費用を一定期間の各期に割り振ったものを企業会計では減価償却費という。(→教p.159❷)

〉〉〉〔⑯〕
事業活動をコントロールするために，他の会社の株式を保有する会社。1997年の独占禁止法の改正で持株会社が解禁されたことにより，金融・通信・流通などの分野で企業の再編が進行している。(→教p.159❺)

・社外監査役などの採用
・業務の外部委託([⑭])によるコスト削減
・企業の合併・買収([⑮])
・[⑯]による企業統合

▶多国籍企業

・現代の企業には，多くの産業部門を抱える[⑰](複合企業)や，複数の国にまたがって活動する[⑱]がある
→[⑱]のタックス・ヘイブン(租税回避地)が国際問題に

▶企業の社会的責任

【企業の社会的役割】
・品質の安全性や廃棄物の処理
・リサイクル活動や廃棄物を出さない[⑲]などの循環型社会への取り組み
・芸術・文化への支援活動([⑳])
・社会的貢献活動([㉑])
・法令遵守([㉒])
→企業の社会的責任(CSR)
※環境保全や途上国援助などを企業の目的に掲げる社会的企業(ソーシャル・ビジネス)も増加

〉〉〉**社会的企業**
環境や福祉，教育などの社会的な課題の解決をその事業の目的とする企業のこと。ボランティアやチャリティとは異なり，あくまで収益事業として社会問題の解決に取り組むが，利潤の最大化を目的とはしていない。(→教p.160❷)

Check! 資料読解 教科書p.159❶「株式会社のしくみ」を参考にして，次のア～カの文で，下の〈語群〉①～⑥のうち関係の深い語句の番号を選びなさい。

ア　株式会社の最高決定機関であり，専門の経営者(取締役)の選任，定款の変更，吸収合併などを決定する。
イ　株式会社を代表する権限を有する取締役のこと。取締役会で選定され，会社の業務を執行する。
ウ　株主が株式を購入すること。このことは，株式会社が必要な資本金を多くの人から募るために小口に分けたもの(株式)を購入する，ということを意味する。
エ　株主総会において選任される合議体で，会社の業務執行について決定し責任を負う。
オ　会社が上げた利益の分配をいい，株主はその出資額に応じてこれを受け取る。
カ　株式会社において取締役の職務執行を監査するために置かれる機関で，株主総会で選任される。

〈語群〉　①　株主総会　②　監査役　③　代表取締役社長
④　出資　⑤　配当　⑥　取締役会

ア	イ	ウ	エ	オ	カ

TRY! 企業の経営について，株主の利益を優先すべきとする考えと，従業員などの利害関係者の利益を優先すべきとする考えについて，あなたの立場を書きなさい。

(　株主の利益を優先すべき　／　従業員などの利益を優先すべき　)

4　経済成長と景気変動

教科書　p.163～167

▶GDPとGNI

【経済活動の規模を示す尺度】

・〔①　　　　　〕(国内総生産)
　=(国内で1年間に新しく生みだされた財・サービスの総量)
　　　　　　　　　　　　　　　　　　　−(原材料<中間生産物>の総額)
　=国内で1年間に新しく生みだされた〔②　　　　　　　〕の総額

・〔③　　　　　〕(国民総所得)
　=〔①〕+(海外からの所得)−(海外への所得の支払い)
　=ある国の国民や企業が新しく生みだした〔②〕の合計

・〔④　　　　〕(国民所得)
　=〔③〕−(固定資本減耗分)−(間接税)+(補助金)

・〔⑤　　　　　　　　　〕…生産・分配・支出から見た国民所得の大きさは一致する

【フローとストック】

・〔⑥　　　　　〕…GDPのように，ある一定期間あたりで定義される数量
・〔⑦　　　　　　〕…ある時点で定義される数量

→国富

・固定資産(住宅・建物・機械・道路など)
・無形固定資産(知的財産権・ソフトウェアなど)
・再生産できない資産(土地・地下資源など)
・対外純資産

>>>〔③〕
2000年まで利用されていたGNP(国民総生産)にかわる同様の概念として新たに導入された。(→教p.163❶)

>>>**固定資本減耗分**
企業の所有する建物や機械設備などの固定資産は，使用とともに破損したり陳腐化したりしてその価値が下がっていくが，その減少分を評価した額のこと。(→教p.163❷)

▶GDPの限界

【GDPの欠陥】

・市場で取り引きされないものは除外される(家事労働など)
・GDPを増やすものとしてふさわしくない要素がある(公害対策費など)

【国民福祉指標】

・〔⑧　　　　　　　　〕(NNW)…余暇増大などのプラス要素や，公害などのマイナス要素を反映し，豊かさの実態をより正確にはかる指標
・〔⑨　　　　　　　　〕…国内純生産から廃棄物や資源の枯渇などの経済活動にともなってもたらされる環境悪化分を差し引いて算出

▶経済成長

・経済成長…前年に対するGDPの増加分であらわされる
　←〔⑩　　　　　〕の変化がGDPに影響を与える

物価の持続的な上昇：〔⑪　　　　　　　　　　　〕→GDPは増大
物価の持続的な下落：〔⑫　　　　　　　　　　〕→GDPは下落

【二つの経済成長率】

・〔⑬　　　　　　　　　〕…物価の変化を調整しないままの経済成長率
・〔⑭　　　　　　　　　〕…物価の影響を調整した経済成長率

【経済成長の原動力】…技術革新，国民の所得水準の上昇など

>>>〔⑩〕
財・サービス価格の平均的な水準。消費財の〔⑩〕は消**費者物価**指数で，機械設備や原材料費など，生産活動に関係する財の〔⑩〕は，企**業物価**指数であらわされる。(→教p.166❶)

>>>〔⑪〕
原材料費や人件費の上昇によるもの(コスト・プッシュ・インフレ)と需要超過によるもの(ディマンド・プル・インフレ)がある。(→教p.166❷)

▶景気循環

・景気変動(景気循環)…経済は，〔⑮　　　　〕→後退(恐慌)→〔⑯　　　　〕→回復といった循環的な変動を繰り返す

好況期

消費や投資の増大，生産拡大，雇用の増加，商品が売れる，物価上昇

不況期

生産の縮小，失業者の増大，倒産企業の増加，商品が売れ残る，物価下落

景気変動の周期	名称	主な原因
約4年の短期波動	キチンの波	在庫の変化
約10年の中期波動	〔⑰　　　　〕	設備投資の変動
約50年の長期波動	〔⑱　　　　〕	技術革新など

〉〉〉**景気をはかる指標**
GDP，設備投資の増加率，鉱工業生産指数，失業率，物価上昇率などがある。(→図p.167❶)

〉〉〉**クズネッツの波**
約20年周期で建築需要の変化で起こる。

Work **1以下の数値が与えられた場合の，それぞれの経済指標の金額ア～エを求めなさい。**

国内の総生産額	1500
固定資本減耗	300
中間生産物	200
海外からの純所得	100
間接税	50
補助金	30

(単位：兆円)

国内総生産(GDP)＝ ア 兆円

国内純生産(NDP)＝ イ 兆円

国民総所得(GNI)＝ ウ 兆円

国民所得(NI)＝ エ 兆円

2ある年の名目GDPが420，その前年が400，物価上昇率が2%であるとき，名目経済成長率はいくつだろうか。また，GDPデフレーターが96のとき，実質GDPはいくつだろうか。

(式)

名目経済成長率　　　　%　　実質GDP　　　　

Check! 資料読解 **教科書p.163❶「国民所得の相互関係」 GDEで最も大きい割合を占めるものは何か。次から選んで○で囲みなさい。**

(1) 民間消費　(2) 政府支出　(3) 民間投資

TRY! **国の豊かさを示す指標には，どのような要素が含まれるとよいだろうか。巻頭特集「よりよい暮らしとは？」から選んで，理由を書いてみよう。**

あなたが選んだのは(　　　　　　　　)

(理由)

5 金融機関の働き①

教科書　p.168〜170

▶金融の役割

【経済活動における二つの資金の流れ】

(1)財・サービスへの対価として〔①　　　　〕(通貨)が支払われる流れ

(2)資金の余っているところから，足りないところへ資金が融通される流れ(資金の貸し借り)

＝〔②　　　　〕…借りる側は貸す側に利子を支払う

→借りた資金に対する利子の割合＝〔③　　　　〕

【通貨の種類】

現金通貨
- 〔④　　　　〕…日本銀行が発行する紙幣
- 〔⑤　　　　〕…政府が発行する硬貨

預金通貨
- 〔⑥　　　　〕…いつでも引き出し可能
- 〔⑦　　　　〕…小切手により支払い手段に利用

・〔⑧　　　　〕…ある時点で国内に存在する貨幣の総量

▶金融市場

【金融市場】…資金の貸し手と借り手が取引をする場

・〔⑨　　　　〕…企業が株式や社債などを発行し，証券市場で人々から資金を調達すること

・〔⑩　　　　〕…金融機関が間に入り，預貯金などで集めた資金を家計や企業へ貸し出すこと

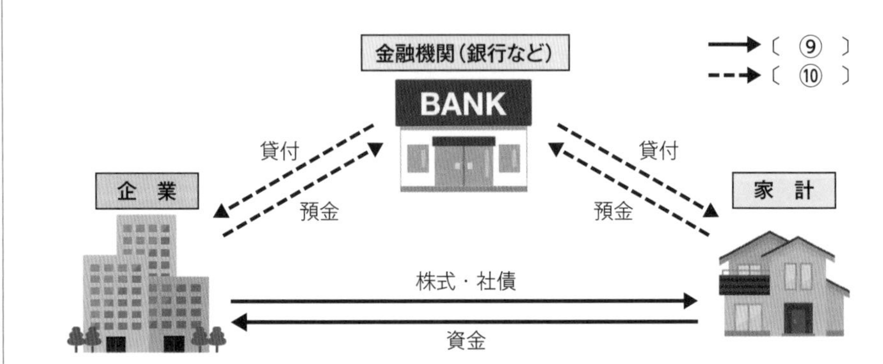

〉〉〉**コール市場**
金融機関がごく短期間の資金の過不足を相互に融通しあう資金市場。(→教 p.169❷)

〉〉〉**証券会社と保険会社**
証券市場には，企業が資金調達のために新規に証券を発行して買い手を募集する発行市場と，すでに発行された証券が売買される流通市場がある。
証券会社…発行市場での株式・社債などの発行引受けや販売，流通市場での売買の仲介をおこなう。
保険会社…公的保険がカバーできない病気や事故に備えるために，人々から保険料を預かり運用したうえで，必要な場合に保険金を支払う。

【金融市場の種類】

・〔⑪　　　　〕…1年未満の短期取引(コール市場など)

・〔⑫　　　　〕…1年以上の長期取引

→金利(利子率)は，金融市場での資金の需給関係で上下する

▶銀行と信用創造

・〔⑬　　　　〕…銀行が結果的に元の資金量の何倍もの預金通貨を新たに生み出すこと

信用創造額＝(当初の預金額／支払準備率)－当初の預金額

▶中央銀行の働き

・〔⑭　　　　　　　　〕…政府から独立して通貨や金融の調節をおこなう銀行
　→日本の〔⑭〕は〔⑮　　　　　　　　　　　〕

【〔⑮〕の役割】

・「〔⑯　　　　　　　　　　〕」…市中銀行から預金を預かり，市中銀行へ資金を貸し出す
・「〔⑰　　　　　　　　　　〕」…政府資金の出し入れをおこなう
・「〔⑱　　　　　　　　〕」…唯一，紙幣(日本銀行券)の発行が認められている

【通貨制度】

・〔⑲　　　　　　　　　　〕…一国の通貨量が中央銀行の保有する金の量と結びつけられている制度→金の保有量から離れて通貨量を調整できない
・〔⑳　　　　　　　　　　　〕(現在の制度)…紙幣は金との交換性をもたない(不換紙幣)→紙幣の供給量は中央銀行が政策的に調整

正誤問題 **次の文が正しい場合には○，誤っている場合には×を〔　〕に記入しなさい。**

1．日本銀行の役割の一つに，唯一の「発券銀行」として日本の国債を発行するという働きがある。
〔　　　〕

2．企業が株式や社債を発行して，証券市場で個人や企業から資金調達をおこなうことを，間接金融という。
〔　　　〕

Work **教科書p.169③「金融機関の種類」 次の金融機関は，どこに分類されるか，下の空欄に番号で記入しなさい。**

①生命保険会社　②日本政策金融公庫　③証券会社　④日本銀行
⑤信用金庫　⑥損害保険会社　⑦農協

中央銀行 ［　　　］　民間金融機関(現金取扱金融機関) ［　　　］　民間金融機関(その他の金融機関) ［　　　］
公的金融機関 ［　　　］

Check! 資料読解 **①教科書p.168❶「マネーストックの内訳」 M1のうち，割合が少ない通貨を答えなさい。**

［　　　　］

②教科書p.170「信用創造のしくみ」 次の文章の空欄［X］と［Y］に当てはまる数字を計算してみよう。

理論上，信用創造後の預金総額は，「最初の預金額×$\frac{1}{支払準備率}$」で求められる。支払準備率が10%の場合，最初の預金額が500万円とすると，預金総額は［X］万円になり，最初の預金額500万円から［Y］万円分が信用創造されたことになる。

X ［　　　　］万円　　Y ［　　　　］万円

5 金融機関の働き②

教科書　p.171〜174

▶金融政策

【金融政策】…日本銀行が，景気や物価の安定をはかるため，金融市場で金利の調整をおこなうこと

・〔①　　　　　　　　〕(オープン・マーケット・オペレーション)

…日本銀行が民間の金融機関を相手に国債や手形などを売買して，市場の資金量を調整→短期金融市場金利(〔②　　　　　　　　〕)を誘導

←政策金利

不況期：〔③　　　　　　　　〕オペレーション

景気の過熱期：〔④　　　　　　　　〕オペレーション

〉〉〉〔②〕
…金融機関どうしが担保なしで短期資金を貸し借りする取引で，期間が翌日までの取引金利。短期金融市場の金利の基準となっている。(→教p.171❷)

▶非伝統的金融政策

1990年代後半〜	・〔⑤　　　　　　　　〕…政策金利がほぼゼロになるようにする政策 ・〔⑥　　　　　　　　〕…日銀当座預金の残高が一定額以下にならないようにする政策
2013年〜	・〔⑦　　　　　　　　〕…ある期間内に2%の物価水準の上昇が達成されるよう金融緩和をおし進める →量的・質的緩和政策：〔⑧　　　　　　　　〕を大幅に増やして市中銀行の貸し出しを促す マイナス金利政策：日銀当座預金のうち一定額以上に関してその金利をマイナスにする

※金融政策と財政政策とを適切に組み合わせる〔⑨　　　　　　　　〕が必要となる場合が多い

▶金融の自由化と国際化

【金融の自由化】…金融制度にかかわる政府の規制を緩和・撤廃すること

業務の自由化：銀行，証券・保険会社が相互乗り入れ可能に

金利の自由化：各金融機関が金利を自由に決めることが可能に

【金融の自由化の影響】

・資本の国際的移動の活発化(＝金融のグローバル化)

→金融政策の国際協調

→〔⑩　　　　　　　　〕(1988年)…国際的に活動する銀行の自己資本比率を8%以上に

〉〉〉〔⑩〕
バーゼル銀行監督委員会の常設事務局が国際決済銀行(BIS)にあることから，BIS規制と呼ばれることもある。(→教p.174❶)

【〔⑩〕後の日本】

・銀行の積極的な融資が困難に

対応：自己資本比率の低下した銀行に公的資金を注入， 〔⑪　　　　　　　　〕を発足，不良債権処理などを指導

【その他の動向】

・金融機関の合併や業務内容の見直しが進む→都市銀行は巨大な〔⑫　　　　　〕グループに統合され，銀行と消費者金融との提携も進行

・金融〔⑬　　　　　〕の結成…銀行が収益拡大のため，証券会社や信託銀行を系列化

・〔⑭　　　　　〕の解禁(2005年)…一つの金融機関につき，1000万円の預金とその利子までを保護

〉〉〉〔⑫〕
旧財閥系列の枠をこえた合併により，三菱UFJ，三井住友，みずほの３大巨大銀行グループが誕生した。(→p.174❷)

Work　下の公開市場操作に関する図中の(a)～(f)については解答欄の適切な語句を○で囲み，(g)と(h)については，適切な語を記しなさい。

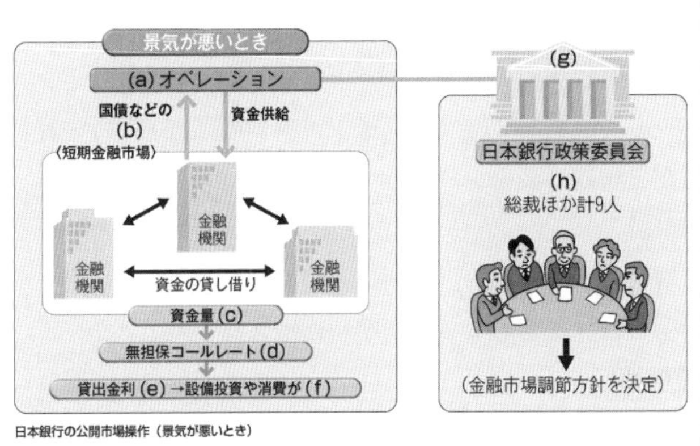

日本銀行の公開市場操作（景気が悪いとき）

a	資金供給・資金吸収
b	買い入れ・売却
c	増加・減少
d	上昇・低下
e	上昇・低下
f	増加・減少
g	
h	

Check! 資料読解　1教科書p.171 5「公定歩合・コールレートと貸出約定平均金利の推移」　教科書本文なども参考にしながら，景気の変動と金利の変化について，以下の文章で正しいものをすべて選びなさい。

① 景気が後退すると金利を下げて経済を活性化させようとする。
② 景気が後退すると金利を上げて経済を活性化させようとする。
③ 景気が過熱すると金利を下げて経済を抑制させようとする。
④ 景気が過熱すると金利を上げて経済を抑制させようとする。

2教科書p.173 6「各国の政策金利の推移」　以下の問いに答えなさい。

問１　各国の金利が2008年以降に下がっている理由を考えてみよう。　教科書p.273～274を参考に，次の文章の空欄に当てはまる語句を答えなさい。

アメリカでは，21世紀初頭に起きたITバブル崩壊と同時多発テロの影響を避けるため，〔ア　　　　　〕が進められた。これにより住宅ローン金利が大幅に〔イ　　　　　〕したため住宅投資が増加し，〔ウ　　　　　〕は上昇した。ところが2006年に(ウ)が下落に転ずると，住宅ローンを組み込んだ〔エ　　　　　〕の価格が低下し，世界の機関投資家に大きな損失を与えた。2008年には，アメリカの大手投資銀行が倒産したことで世界的な金融・経済危機に発展した〔オ　　　　　〕の影響を受けて，世界各国の政策金利が低下した。

問２　日本の政策金利のきわだった特徴を示す下の文の空欄に適切な数字を記入しなさい。

日本の政策金利はほぼ〔　　　　〕%で推移してきている。

6 政府の役割と財政・租税①

教科書　p.176〜178

>>>**累進課税**
所得税では5〜45%の7段階，相続財産に課税される相続税では10〜55%の8段階の累進課税が適用されている。(→教p.176❶)

>>>**ビルト-イン・スタビライザー**
累進課税と社会保障が財政システムのなかに制度として組み込まれているため，不況期には有効需要を拡大し，好況期には景気を引き締める政策が自動的におこなわれるしくみ。(→教p.176❷)

▶政府の役割

政府のおこなう経済活動：〔①　　　　〕

・〔②　　　　　〕の提供…教育，警察，道路，公園など
→社会全体の資源配分を適正にする

・〔③　　　　　　〕…累進課税と社会保障によって所得格差を是正

・〔④　　　　　　〕…財政政策によって景気の動きを調整

▶景気調整の二つの方法

(1)〔⑤　　　　　　　〕(フィスカルポリシー)…財政操作による景気の調整

不況期：減税や，公債の発行による公共事業の増加など

過熱期：増税や，財政支出の縮小など

(2)〔⑥　　　　　　　〕(ビルト-イン・スタビライザー)…経済の状態に応じて景気が自動的に調整されるしくみ

例)累進課税制度

不況期：所得の減少にともなって所得税が減る

過熱期：所得の増加にともなって所得税が増える

▶予算と財政投融資

【予算】…ある会計年度の収入(〔⑦　　　　〕)と支出(〔⑧　　　　〕)

【二つの会計】

・〔⑨　　　　　〕…政府の一般行政にかかわるもの

・〔⑩　　　　　〕…道路整備・保険・年金など特定事業にかかわるもの

【財政投融資計画】

・財政投融資計画…〔⑪　　　　　〕や年金積立金など国が集めた資金を，〔⑫　　　　　〕の整備，住宅建設や中小企業支援など公共性の高い事業に融資する制度
→2001年度からは資金の調達方法が原則として債券の発行に

▶租税の種類

歳入の中心になるもの：〔⑬　　　　〕(税金)

【〔⑬〕の原則】

・〔⑭　　　　　　〕…所得の高い人ほど多くの税金を負担するのが公平であるとする考え方

・〔⑮　　　　　　〕…所得が同じであれば，等しい額の税金を負担するのが公平であるとする考え方

【〔⑬〕の分類(税の負担と納め方の違いによる分類)】

・〔⑯　　　　　〕…税を負担する人と納める人が同じ税
例)所得税・法人税

・〔⑰　　　　　〕…税を負担する人と納める人が異なる税
例)消費税・酒税

【〔⑬〕の分類(税の納め先の違いによる分類)】

・〔⑱　　　　　〕…国に納める税金

・〔⑲　　　　　　〕…地方自治体に納める税金

Work **1政府の経済的役割に関する記述として最も適当なものを，次の①～④のうちから一つ選べ。**

① 社会的に必要とされ利潤を生み出しやすい公共財を広く国民に提供し，適正な資源配分を目指す。

② 所得が高くなるにつれて税率が高くなる累進税率の累進制を緩やかにして，所得再分配の効果を強める。

③ 景気の動向をにらみつつ増減税したり財政支出の増減を裁量的に行ったりして，景気を安定させる。

④ 寡占や独占によって市場での価格競争による調整機能が十分に働かなくなってきたときに，プライスリーダー(価格先導者)として市場に参入する。

(2008年センター試験現代社会本試)

2次のア～ウの政策が所得再分配の働きをもつ場合は○，そうでない場合は×を〔　〕に記入しなさい。

(1994年センター試験現代社会本試より作成)

ア 国民に健康で文化的な生活を保障するために，生活保護費を支給する。〔　　　〕

イ 水質の汚濁を防ぐため，各家庭に経費の一部を負担させ下水道を整備する。〔　　　〕

ウ 公営住宅を建設して，低額所得者に低廉な家賃で住宅を賃貸する。〔　　　〕

Check! 資料読解 **1教科書p.177 1「一般会計の歳入と歳出の比較」 大きく増えた歳出項目は何か答えなさい。また，なぜ増えたのか，教科書p.220などを見てその理由を下の①～④のうちから一つ選びなさい。**

① 少子高齢社会への対応により，年金や医療費等の支出が増加したため。

② 東アジアの国際関係の情勢の変化を受けて，防衛関係に関する支出が増加したため。

③ 地方自治体の人口減少によって，地方の税収が減少したことに対応し，地方への交付を増加したため。

④ 社会のIT化に対応して，情報教育の振興に関する支出を増加したため。

(　　　　　　　　)費

2教科書p.178 3「消費税と所得税の特徴」 消費税と所得税の特徴を説明した次の文X，Yについて，その正誤の組合せとして正しいものを下の①～④のうちから一つ選びなさい。

X 消費税は，税収が景気の変動に左右されにくく，脱税が起きづらい。

Y 所得税は，低所得者ほど所得に占める税負担の割合が大きくなる逆進性がある。

① X－正　Y－正

② X－正　Y－誤

③ X－誤　Y－正

④ X－誤　Y－誤

6 政府の役割と財政・租税②

教科書　p.178〜180

▶税制改革

【日本の税制の特徴】

・〔①　　　　　　　〕(直接税と間接税の比率)で見ると，直接税の割合が高い

【日本の税制の問題点】

・所得税のような直接税は，業種によって所得額を正確に把握することが難しい

・景気変動によって税収が左右されやすい

【税制改革】

1980年代〜	・所得税の最高税率の引き下げ
1989年	・〔②　　　　　　〕の導入…すべての財とサービスに一律に課税 →安定した財源の確保が目的 問題点：所得の多い少ないにかかわらず一律に課税されるため，低所得者ほど負担が重くなる(〔③　　　　　　〕)

※日本の法人税率は徐々に引き下げられてきたが，いまだに先進国中で高水準

→さらなる法人税率の引き下げが検討されている

〉〉〉〔③〕による負担感を緩和するため，特定商品の税率を緩和する軽減税率制度が導入された。(→教p.179❶)

▶建設国債と赤字国債

・〔④　　　　　〕…政府の借金

←租税だけで歳入をまかなえない場合に発行

※安易な〔④〕の発行は財政危機を招いたり，インフレーションを引き起こしたりする→第二次世界大戦後，法律で厳しい制約を課す

〔⑤　　　　　　　〕…公共事業などの費用をまかなう国債

←法律で発行が認められている

〔⑥　　　　　　　〕…経常的な経費をまかなうための国債

←発行には特例法の制定が必要(**特例国債**)

・〔⑦　　　　　　　　　　〕…日本銀行による国債の引き受けは禁止

・〔④〕の大量発行→歳出に占める〔⑧　　　　　　〕の割合が増大

→歳出の裁量の幅が小さくなる

▶財政危機と財政再建

1990年代〜：バブル崩壊後の不況対策→国債発行額が急速に増大

・多額の国債発行→国の国際的な信用力を失うリスク

→政府は〔⑨　　　　　　　　　　　〕(プライマリー・バランス)の黒字化を目標に

〉〉〉**〔⑨〕(プライマリー・バランス)**
国債などを除く税金などの正味の歳入と国債返済のための元利払いを除く歳出の収支のことをいい，黒字化が当面の目標となっている。(→教p.180❶)

・従来の〔⑩　　　　　　　　〕はいったん計画が決まると，時代の変化にかかわりなく進められる傾向
・国がおこなう事業のなかには，政・官・財が癒着して，予算配分が硬直化しているものも

2000年代～：歳出を見直し，抑制する財政改革がおこなわれてきた

Check! 資料読解 **1 教科書p.179 5「法人税の推移」 法人税率は過去30年間でどのように変化してきたか。また，その理由は何だろうか，文中の空欄ア～エに適語を記入しなさい。**

法人税の基本税率は，1984年の〔ア　　　　　〕%から，2022年現在は〔イ　　　　　〕%に〔ウ　　　　　〕している。これは，企業の〔エ　　　　　　　〕を保つためである。

2 教科書p.180 6「歳出と税収，国債発行額の推移」とp182 1「歳出の推移」を見て，赤字国債の発行額が急増した理由を答えなさい。

TRY! **税制改革の特徴についてまとめた次の文章の空欄に当てはまる語句を，下の〈語群〉から選びなさい。ただし，同じ語を何度使用してもよい。**

1980年代以降，税制改革が進められ，〔ア　　　　　〕の最高税率が徐々に〔イ　　　　　〕られた。一方，1989年に新たな間接税として〔ウ　　　　　〕が導入され，税率が段階的に〔エ　　　　　〕られている。また，企業の国際競争力を保つため，〔オ　　　　　〕の税率が徐々に〔カ　　　　　〕られてきた。

〈語群〉　消費税　所得税　法人税　引き上げ　引き下げ

Exercise **税制改革について，次のア～ウの政策はどのような考え方に基づいたものだろうか。それぞれについて，最も適当なものを，下の①～③のうちから一つずつ選びなさい。**

ア 他の先進国に比べて税率が低い消費税を増税する。
イ 法人税を減税し，経済成長を促す。
ウ 所得税における累進課税の税率を上げる。

① 経済格差の拡大は社会の不安定要素をもたらすので，国は積極的に経済に介入すべきである。
② 国が安定した経済政策を継続させるためには，財源の確保を重視しなくてはならない。
③ 経済活動においては，国は結果の平等を保障するよりも，自由競争がおこなわれるような条件整備をすべきである。

ア	イ	ウ

Active 財政再建をどのように進めるべきか

教科書 p.181～183

振り返りチェック

1 教科書 p.177 1「一般会計の歳入と歳出の比較」を確認して，次の文章の空欄に当てはまる語句を答えなさい。

1990年と2023年の歳入を比べてみると，1990年は〔①　　　　〕の発行がゼロだったが，2023年では約1/4を占めている。多額の(①)の発行はのちの世代に負担をもたらすと同時に，歳出に占める〔②　　　　〕費の割合を増大させ，歳出の裁量の幅を小さくしてしまう。また，歳出を見ると，大きく増加したのは，〔③　　　　〕費と〔④　　　　〕費，防衛費である。

●財政再建をどのように進めるべきか

TRY! 財政再建に関して，次のア～エについて，歳出減の考えのものはA，歳入増の考えのものはBに記号を記入しなさい。

ア　地方公共団体は地方交付税や国庫支出金などの国の財源に頼っている現状があるので，地方分権をすすめて，地方公共団体の自主財源の確保を進める。

イ　消費税率はOECD加盟国中，低い水準にあるので，今後引き上げることを検討する。

ウ　高齢化にともなって医療費や介護費，年金等の伸びが今後も予想されるため，年金の支給年齢を遅らせるなどの対応をおこない，これらの給付の増加を抑える必要がある。

エ　経済成長をはかることで，法人税や所得税の税収を増加させる。

A〔　　　　〕　B〔　　　　〕

Check! 資料読解　1 教科書 p.182 1「歳出の推移」　①2000年に上位3位だったが，その後，横ばいである費目，また②2000年以降，下がっていった費目は何か，答えなさい。

①〔　　　　〕　②〔　　　　〕

2 教科書 p.182 2「政府の総支出・租税収入(対GDP)の国際比較」　以下の文章の空欄に当てはまる国名を答えなさい。

総支出と租税収入の対GDPの差が最も小さい国は〔①　　　　〕で，租税収入の比率が小さいのはアメリカと〔②　　　　〕である。

3 教科書 p.183 3「税目別にみた税収の推移」　それぞれの税の特徴を読み取って，次の問いに答えなさい。

問1　景気の後退期に顕著に税収が減少しているといえる税を二つあげなさい。

〔　　　　と　　　　〕

問2　景気にあまり左右されずに税収が安定しているといえる税を二つあげなさい。

〔　　　　と　　　　〕

問3　消費税収を見ると，ある時期に大きく上昇している。その時期に何があったか確認してみよう。

〔　　　　〕

4教科書p.183 4「租税負担率の国際比較」 次の文章が正しければ○を，誤っていれば×を記入しなさい。

ア すべての国で，個人所得課税と消費課税の割合が上位二つを占めている。 〔 〕

イ 消費課税の割合は，グラフ中の国で日本が最も低い。 〔 〕

ウ 法人所得課税の割合は，日本はグラフ中の国と比べると低い水準にある。 〔 〕

エ 個人所得課税の割合は，グラフ中の国で日本が最も低い。 〔 〕

TRY! 1将来世代の利益にも配慮した歳出について，以下の問いに答えなさい。

問1 ①公共事業費をさらに削減した場合の問題点について，指摘してみよう。

②地方交付税をさらに削減した場合，とくに過疎地域の立場を考えると，どのような弊害が生じるか指摘してみよう。

問2 あなたは，将来世代の利益に配慮した持続可能な財政政策はどのようなものがよいと思いますか。

2財政再建のためにはどのような方法が望ましいか，話しあってみよう。

あなたの考え	他の人の考え

章末問題 第2編第3章 **現代の経済社会** 教科書 p.146～183

Check ✓ 重要用語

1．経済社会の形成と変容	
❶経済において，Aを選んだらBを選べないというように両立できない関係。	❶
❷選択しなかった機会から得られたはずの便益のうち，最大のもの。	❷
❸金銭的な支出をともなう(購買力のある)需要のことで，ケインズはこの需要の不足を埋めるため，政府の政策的介入を主張した。	❸
❹ケインズ理論による政策が財政拡大とインフレーションを起こしたと批判し，市場の自動調整を信頼して，通貨供給量のみをコントロールすべきだと説く理論。	❹
❺「小さな政府」を求め，政府事業の民営化，規制緩和などを唱える主張。	❺
❻貧富の格差や恐慌などに資本主義の矛盾を見出し，その解決のために社会主義を提唱したドイツの思想家。	❻
❼中国が社会主義市場経済のもと，工業化と経済成長を推進するために，経済特区を設けて外国資本を導入するなどした政策。	❼
2．市場のしくみ	
❽家計，企業，政府という現代の経済活動の三つの担い手。	❽
❾イギリスの経済学者で，市場での自由競争により経済が調整されていく過程を「見えざる手」と表現した。	❾
❿規模の経済性を背景に，少数の大企業が市場を支配する傾向。	❿
⓫企業どうしが商品の生産量・価格・販路などについてあらかじめ協定を結ぶこと。	⓫
⓬ある企業が価格を決めると，その価格に他社も従い，価格競争が回避されるようになるが，その価格先導者としての企業。	⓬
⓭所得の不平等，公共財の供給，公害・環境破壊など市場が機能しないところで生じる問題。	⓭
3．現代の企業	
⓮事業に必要な資本金を，株式の発行により多くの人から募る会社。	⓮
⓯出資者が，会社倒産のとき，出資金を失うのみという責任を負うこと。	⓯
⓰出資者が会社経営を直接せず，専門の経営者に委託する状態。	⓰
⓱株価など資産価値の値上がりによって得られる利益。	⓱
⓲経営多角化をはかるため，異なる業種の会社を合併・買収すること。	⓲
⓳企業による，芸術・文化への支援活動。	⓳
⓴環境や福祉，教育などの社会的な課題の解決をその事業の目的とする企業。	⓴
4．経済成長と景気変動	
㉑1年間に，国内で生産された生産物の価格から，中間生産物の価格を差し引いた付加価値の合計。	㉑
㉒日本国籍をもつ個人や企業が，国内外で生みだした付加価値の合計。	㉒
㉓㉒から固定資本減耗を差し引き，間接税と補助金を調整した指標。	㉓
㉔生産国民所得，支出国民所得，分配国民所得が必ず等しくなる関係。	㉔
㉕GDPのようにある「一定期間」あたりで定義される数量。	㉕
㉖1年間のGDPの増加率。	㉖

㉗GDPに，余暇や自由時間をプラス要因，環境破壊などをマイナス要因として加算し，国民生活を福祉的側面から評価しようとする指標。 ㉗

㉘資本主義経済が，好況・景気後退・不況・景気回復という景気の局面を繰り返し変動すること。 ㉘

5．金融機関の働き

㉙社会全体の通貨量。 ㉙

㉚銀行などの金融機関が間に入っておこなわれる金融。 ㉚

㉛金融市場のうち，1年未満の資金取引がおこなわれる場。 ㉛

㉜銀行がその信用により，最初に預けられた預金の何倍もの融資をおこなうことができること。 ㉜

㉝現在のように不換紙幣が流通し，その供給量を中央銀行が政策的に調整している通貨制度。 ㉝

㉞日銀がおこなう，民間金融機関との間で国債などを売買して通貨供給量を調整し，景気の安定化をはかろうとする操作。 ㉞

㉟金融機関どうしが，担保なしで短期資金を貸し借りする取引で，期間が翌日までの金利。 ㉟

㊱金融政策の目標を金利ではなく日銀当座預金の残高に置き，その残高が一定額以下にならないようにする政策。 ㊱

6．政府の役割と財政・租税

㊲所得が高くなるにつれ，高い税率がかかる税制度。 ㊲

㊳政府が，景気の安定化をはかるため，景気の状況に応じて，財政支出の増減などをおこなう財政政策。 ㊳

㊴税金の納入者と，実際の負担者が一致する税。 ㊴

㊵累進課税制度における税負担のように，所得の高い人が税を多く負担するという形の公平さ。 ㊵

㊶租税に占める直接税と間接税の比率。 ㊶

㊷消費税に見られるような，低所得者ほど税負担が重くなるという性質。 ㊷

㊸建設国債とは異なり，税収不足を補うため，一般的な支出に当てるために発行される国債。 ㊸

㊹国債の元金・利子などの支払経費。 ㊹

㊺歳入・歳出のうち，公債(国債)にかかわる部分(国債発行による収入や国債費による支出)を除いた収支。 ㊺

演習問題

1 会社に関する記述として最も適当なものを，次の①～④のうちから一つ選べ。

① 日本の現行の独占禁止法のもとでは，持株会社を設立することが認められている。

② 会社が社債を発行して資金調達することは，間接金融と呼ばれる。

③ 日本の会社法では，株式会社が倒産したときには株主が無限責任を負うものとされている。

④ 会社が法令や企業倫理を遵守することは，フィランソロピーと呼ばれる。

(2016年センター試験現代社会追試)

2 経済活動における効率性と公平性の問題について，次の二人の会話文中のア・イに当てはまるものはどれだろうか，最も適当なものを，下の①〜④のうちから一つずつ選びなさい。

ケン：所得の格差が広まっているというけど，才能や能力に恵まれた人が努力することでより多くの所得を得ることは正しいことなのではないかな。

ミキ：才能や能力，それに努力できるということですら，すべてその人が高い収入を得るだけの理由となっているのかな。たまたまそのような境遇にあったということを考えれば，その人の所得から高額の税金をとって，福祉に当てることは正しいことだと思うな。

ケン：それでは，所得の多い人が頑張る意欲を失ってしまうよ。そうなると，より多くの価値を生みだすはずの経済活動がとどこおり，経済成長が鈍化してしまうのでないかな。だから，私は(　ア　)と思うよ。

ミキ：でも，才能や能力をもっている人は相対的に少なく，市場はその人がもっている力以上に評価しがちだから，そうでない人との格差がより広がるという問題があると思うよ。だから，私は(　イ　)と思うよ。

① 経済活動では「効率性」と「公平性」が両立しがたいというトレードオフの関係はない

② 経済活動では「効率性」を「公平性」より優先すべきである

③ 経済活動では「公平性」を「効率性」より優先すべきである

④ 経済活動では「公平性」と「効率性」のどちらを優先させてもかわりはない

ア	イ

3 経済循環とそれに関係する概念に関する記述として最も適当なものを，次の①〜④のうちから一つ選べ。

① 経済循環を形成する生産活動において必要とされる三つの生産要素は，資本・土地(資源)・貨幣である。

② フローとストックのうち，ある一定期間内に行われた経済活動によって生み出された数量あるいは金額はフローである。

③ 家庭内で行われる家事などの無償労働は，GDP(国内総生産)に計上される。

④ 三面等価の原則によると，国民所得の金額は生産面・分配面・投資面で等しくなる。

(2019年センター試験現代社会本試)

4 金融機関に関して，日本の状況に関する記述として最も適当なものを，次の①〜④のうちから一つ選べ。

① 日本銀行が誘導目標として設定している政策金利は，公定歩合と呼ばれている。

② 預金している金融機関が破綻したとき，預金者は預金準備率操作によって預金の一部を失う可能性がある。

③ 日本政策投資銀行は，国庫金の出納などを主な業務とする政府の銀行である。

④ 金融ビッグバン以後，銀行・証券・信託などの業務の相互参入が認められ，外国為替業務の自由化も行われている。

(2013年センター試験現代社会本試)

5 次の表は，ある国の国家財政における歳出と歳入の項目別の金額を表したものである。2017年度から2018年度にかけての財政状況に起きた変化として正しいものを，下の①～④のうちから一つ選べ。なお，表中の項目の定義は日本の財政制度のものと同じであり，通貨の単位にはドルを用いているものとする。

（単位：10億ドル）

		2017年度	2018年度
歳出	社会保障関係費	24	30
	公共事業関係費	11	13
	防衛関係費	5	7
	文教および科学振興費	6	8
	国債費	14	17
	合　計	60	75

（単位：10億ドル）

		2017年度	2018年度
歳入	法人税	10	13
	酒　税	5	5
	所得税	12	16
	消費税	17	22
	公債金	16	19
	合　計	60	75

（注）国債費とは国債の元利払いを指し，公債金とは国債発行による収入を指す。

① 国債残高が減少した。
② 国債依存度が低下した。
③ プライマリーバランスの赤字額が拡大した。
④ 直間比率で間接税の比率が上昇した。

（2021年大学入学共通テスト政治・経済本試を一部修正）

6 生徒Xは，望ましい社会の姿というテーマでの発表にあたり，経済成長の側面を調べることとなり，ある国の経済状況を調べた。次の表は，ある国の経済状況（名目GDP，人口，GDPデフレーター，実質GDP，名目GDP成長率，実質GDP成長率）を示しており，通貨の単位にはドルを用いているものとする。なお，この国では，2015年と2016年の一人当たりの名目GDPが同じである。表中のa～cに当てはまる数字の組合せとして正しいものを，下の①～⑧のうちから一つ選べ。

	名目GDP（億ドル）	人口（百万人）	GDPデフレーター	実質GDP（億ドル）	名目GDP成長率（%）	実質GDP成長率（%）
2015年	500	b	100	500		
2016年	a	47	94	500	-6	0
2017年	494	45	95	520	5	c

① a 450 b 49 c 1
② a 450 b 49 c 4
③ a 450 b 50 c 1
④ a 450 b 50 c 4
⑤ a 470 b 49 c 1
⑥ a 470 b 49 c 4
⑦ a 470 b 50 c 1
⑧ a 470 b 50 c 4

（2021年大学入学共通テスト政治・経済本試）

7 教科書p,175 Seminar「キャッシュレス社会に向けて」を確認して，キャッシュレス社会のメリットとデメリットを考えてみよう。

メリット
デメリット

8 次の会話文中の下線部ⓐにおける先生の問いかけを踏まえ，[A]と[B]に入る発言として最も適当なものを，下の①～④のうちから一つ選べ。

先　生：他にも，政府には大事な働きがあるよ。多くの一般道は国や自治体が作ったものだけど，一般道には二つの特徴的な性質がある。第一に，渋滞していない限り，ある人が道路を通っても，それによって他の人が通れる道路の量が減ったりはしないよね。こういう性質のことを「非競合性」と呼ぶよ。第二に，一般道のあちこちに料金所を置くのは無理だから，通行料を支払った人にしか道路を使わせない，ということはできないね。こういった性質のことを「非排除性」と呼ぶんだ。では，ⓐこの非排除性を念頭において，もし政府が道路を作ることに関与せず，その供給をすべて企業に任せると，何が起きるか考えてごらん。

タカギ：ああ，そうか。[A]から，企業は，[B]わけですね。

先　生：そのとおり。だから，この一般道のような財は，供給を企業だけに任せると社会にとって望ましくない結果をもたらすので，政府の働きが必要になるんだ。こうした財を「公共財」と言うよ。世の中には他にも，非競合性をもつけど非排除性はもたない財」や「非排除性をもつけど非競合性はもたない財」もあるよ。調べてみよう。

① A　一般道を作るためには行政上の複雑な手続きが必要となる
　 B　社会で必要とされる量の道路を作ろうとしない
② A　一般道を使う人はお金を支払わない
　 B　社会で必要とされる量の道路を作ろうとしない
③ A　一般道を作り過ぎても損をする心配がない
　 B　社会で必要とされる以上に道路を作ろうとする
④ A　一般道は世の中のあらゆる人が利用する可能性がある
　 B　社会で必要とされる以上に道路を作ろうとする

〈2021年大学入学共通テスト現代社会本試第1日程〉

9 Aさんは図書館で，アダム・スミスの『国富論（諸国民の富）』の原書 An Inquiry into the Nature and Causes of the Wealth of Nations（初版は1776年刊）をみつけ，著者の有名な言葉「見えない手」が教科書で紹介されていたことを思い出した。そこで，その個所（『国富論』第4編第2章の一部）を訳してみることにした。それが，次の訳文である。訳文が正しいとの前提のもとでこの文章を読み，文章中の［ X ］に入る文として最も適当なものを，下の①～④のうちから一つ選べ。

どの社会でも毎年の収入は，常に，その社会の勤労が毎年生産する生産物の交換価値に正確に等しい，というよりも，正確にはその交換価値と同一物なのである。そのため，各個人が，自分の資本を自国の産業の維持のために使おうとして，しかも，その産業の生産物の価値が最大になるように運営しようとして精一杯努力するとき，各個人は必然的に，その社会の毎年の収入をできるだけ大きくしようと努力していることになる。実際にはその人は，ほとんどの場合，公共の利益を増やそうと意図しているわけではないし，自分が社会の利益をどれくらい増やしているのかを知っているわけでもない。その人は，外国の産業よりも国内の産業に対する支援を選ぶことによって自分自身の安全だけを目指し，生産物の価値が最大になるようなやり方でその産業を運営することによって自分自身の利益を追求しているだけなのだけれども，他にも多くの例があるように，その人はこのようにして，ある見えない手に導かれて（led by an invisible hand），意図していなかったある目的を推し進めることになるのである。その人がそれを目指していないことが，社会にとって常により悪いということにはならない。［ X ］。私は，公共の利益のために商売をするふりをしている人たちが良いことをたくさんしたという話を，まだ聞いたことがない。

注：文章中の「交換価値」と「価値」は，どちらも価格のこと。

① なぜなら，誰もが自分の勤労は暗黙のうちに社会の利益につながっていると考えているし，他の人からそう期待されればますます勤労に励もうとするからである

② その人が，社会の利益を増やそうと意図する場合よりも，自分自身の利益を追求することの方が，より効果的に社会の利益を増やすということは，頻繁に起こる

③ 社会の利益を害してしまえば，人々から非難されて自分自身の利益を増やせなくなるから，普通の人はそうならないようにいつも周囲を気づかっている

④ なぜなら，公共の利益を追求するのは為政者の仕事であって，普通の人々は自分の利益だけを追求して産業を運営すれば義務を果たしたことになるからである

〈2018年大学入学共通テスト試行調査現代社会〉

［　　　］

1 日本経済の歩みと近年の課題①

教科書　p.186〜188

▶経済の民主化

・[① 　　　　　　　　　　　](GHQ)による民主化政策

(1)[② 　　　　　　　　]…戦前の地主・小作の関係を廃止
→農民の所得水準の上昇，農業技術の進歩による生産力の向上

(2)[③ 　　　　　　　　]…三井・三菱・住友・安田などの財閥を解体
→寡占体制が崩壊して，企業間競争が活発化

(3)[④ 　　　　　　　　]の育成…労働組合法や労働基準法などを制定
→多くの労働者が労働組合に組織，賃金水準・労働条件が改善

▶戦後復興

【戦後不況からの脱却】

(1)[⑤ 　　　　　　　　　　]…資金を石炭や鉄鋼などに重点的に配分

(2)[⑥ 　　　　　　　　　　　]…戦後の激しいインフレーションを抑えるための計画
→1ドル＝360円の単一為替レートに

(3)[⑦ 　　　　　　　　　　]…直接税中心の税体系を提唱

(4)[⑧ 　　　　　]…朝鮮戦争がもたらした米軍からの特別需要

▶高度経済成長

・[⑨ 　　　　　　　　　　]…1956年ごろ〜1973年，実質で年平均10％前後の高い経済成長率を実現

要因
(1)海外の最新技術の導入による技術革新
(2)高い貯蓄率を背景とした企業の活発な設備投資
(3)海外からの安価な原材料やエネルギー資源の輸入
(4)安価で質の高い労働力の存在
(5)政府による産業保護政策
(6)世界経済が好況で輸出が拡大

【高度経済成長期の主な出来事】

1960年	池田内閣が「[⑩ 　　　　　　　　　　]」を発表 …日本の国民所得を10年間で2倍に
1964年	OECD(経済協力開発機構)に加盟
1967年	資本の自由化
1968年	国民総生産がアメリカにつぎ資本主義国第2位となる

〉〉〉**経済のソフト化・サービス化**
高度経済成長により，製造業の中心は，鉄鋼や石油化学などの「重厚長大」型産業から，半導体・コンピュータなどの「軽薄短小」型産業へと移った。モノ(ハードウェア)の生産よりも知識や情報(ソフトウェア)の生産が中心となる経済のソフト化，製造業に対してサービス業の比率が高まる経済のサービス化が進んだ。(→教p.187❶)

〉〉〉**OECD**
先進工業国の経済協議機関。安定的な経済成長，世界貿易の拡大，発展途上国への援助の促進と調整を目的とする。加盟国は2023年現在，38か国。(→教p.187❷)

▶石油危機と低成長経済

【低成長経済期の主な出来事】

1971年	アメリカが金・ドル交換の停止を発表 =〔⑪　　　　　　　　　　〕 →円の切り上げ(1ドルが360円から308円に)
1973年	〔⑫　　　　　　　　　　〕…原油価格が高騰 →1974年度に戦後初のマイナス成長
1979年	〔⑬　　　　　　　　　　〕…再び原油価格が高騰 →先進諸国が〔⑭　　　　　　　　　　〕に見舞われる →日本は産業の転換により比較的早く克服 →〔⑮　　　　　　〕…年平均4～5%の実質GDP成長率

〉〉〉**スタグフレーション**
経済が停滞(stagnation)しているなかで，インフレーション(inflation)が続いている状態のこと。stagnationとinflationを組み合わせた造語。(→教p.188❶)

正誤問題 **次の文が正しい場合には○，誤っている場合には×を〔　〕に記入しなさい。**

1．GHQが戦後の日本に対して実施した主な経済民主化政策は，農地改革，財閥解体，労使関係の民主化(労働組合の育成)である。　〔　　　〕

2．第1次石油危機のあと，日本は経済成長率がマイナス成長になったが，第2次石油危機のあとの1980年代でもマイナス成長は継続した。　〔　　　〕

Work **第二次世界大戦後の日本の産業構造の変化に関する記述として適当でないものを，次の①～④のうちから一つ選べ。**

①　高度経済成長期に，第一次産業の比重が著しく低下し，第二次産業の比重が高まったが，この現象は産業構造の高度化の一例とされている。

②　高度経済成長期に，製造業の中心が軽工業から重化学工業へ変化したが，この現象は産業構造の高度化の一例とされている。

③　石油危機後に，産業の中心が軽薄短小型産業から重厚長大型産業へ変化したが，この現象は産業構造の転換の一例とされている。

④　石油危機後に，第三次産業の比重が一層高まってきたが，この現象は，経済のサービス化の一例とされている。

(2004年センター試験現代社会本試)

〔　　　〕

Check! 資料読解 **教科書p.188❸「実質経済成長率の推移」について，長期的に見て成長率はどのように変化してきたのか。以下の文章に当てはまる語句を〈語群〉から選び記入しなさい。**

①1956～73年度
世界に例を見ない〔**ア**　　　　　　　〕であり，平均成長率は〔**イ**　　　〕%を記録した。

②1974～90年度
先進諸国が〔**ウ**　　　　　　　〕に見舞われるなか，日本は比較的早く〔**エ**　　　　〕を克服し，平均成長率が〔**オ**　　　〕%の〔**カ**　　　　　〕を実現した。

③1991～2022年度
日本経済は，長い景気拡大期(〔**キ**　　　　　　　〕)もあるが，平均成長率は〔**ク**　　　〕%であり，経済成長率は〔**ケ**　　　〕している。

〈語群〉　安定成長　高度経済成長　スタグフレーション　石油危機　いざなみ景気
平成不況　株価　0.8　4.2　9.1　上昇　低下

1 日本経済の歩みと近年の課題②

教科書　p.189～191

▶バブル経済とその崩壊

【円高不況からバブル経済へ】

1985年：G5〔①　　　　　　〕
…アメリカの貿易収支改善のため，ドル高を是正する協調介入
→日本では輸出産業を中心に〔②　　　　　　〕に見舞われる

対応	・低金利政策 ・生産拠点を海外に→海外直接投資の急増

・日本は不況を脱し，長期の好況に
→金融の〔③　　　　　　〕の進展

銀行の余剰資金が株や土地の購入のために積極的に貸し付けられ，株価と地価が異常に上昇

→〔④　　　　　　〕

【バブル経済の崩壊】

・景気の過熱を抑制するため，金融引き締めや土地取引の規制の実施
→1990年代に入ると株価や地価が暴落→バブル経済の崩壊
・巨額の〔⑤　　　　　　〕を抱え，経営に行き詰まる金融機関も
→「〔⑥　　　　　　〕」…企業への貸し出しを制限
→多くの中小零細企業が倒産

▶長期不況

1990年代：長期不況に突入し，「〔⑦　　　　　　〕」とも称される
・企業による〔⑧　　　　　　〕
→失業率の上昇

【悪循環の発生】

（労働者賃金の抑制）→（消費需要の減退） →（物価の下落）→（企業収益の悪化）

→〔⑨　　　　　　〕が見られるように

【政府の対応】

・大手都市銀行などに〔⑩　　　　　　〕を通じ公的資金を注入
→金融システムの安定化
・大量の国債を発行して公共事業などをおこなう
→財政赤字が拡大し，〔⑪　　　　　　〕が重要な課題に

〉〉〉〔⑩〕
預金保険法に基づいて1971年に設立された。金融機関が破綻した場合に，金融機関が納めていた預金保険料などをもとに預金の一定額を保障するほか，預金者保護を目的とする。信用秩序の維持のため金融機関の破綻処理においても重要な役割を果たした。（→圏p.190❶）

▶規制緩和と構造改革

【小泉政権】（2001年成立）

・市場原理を重視し，さまざまな〔⑫　　　　　　〕を実施
・「官から民へ」「中央から地方へ」をスローガンとする〔⑬　　　　　　〕を実施

【近年の日本経済の動向】

2002年～：「実感なき景気回復」

→低水準の成長率→非正規雇用の拡大，賃金引き下げ

2005年：〔⑭　　　　　　　　　〕が成立し，郵政3事業は2007年に民営化される

2008年：アメリカ発の金融危機による景気後退

▶日本経済の課題

・人口減少による労働力不足

→高齢者・女性の労働市場への誘導，外国人労働者の活用

・人口減少社会では，生産性の向上が不可欠

→AIやビッグデータなどを核とした新たな産業社会への対応

〉〉〉〔⑭〕
郵便・郵便貯金・簡易保険の郵政3事業は，日本郵便・ゆうちょ銀行・かんぽ生命に分社化された。(→教p.190❷)

正誤問題 次の文が正しい場合には○，誤っている場合には×を〔　〕に記入しなさい。

1．プラザ合意後に日本は急激な円安に見舞われたが，不況対策のための低金利政策の結果，地価や株価が高騰するバブル景気が発生した。〔　　　〕

2．日本では，少子高齢化の進展にともない，社会保障費の増大が予想されている。〔　　　〕

3．2010年代以降の日本の成長率は，アメリカよりは低いが，ドイツ，イギリスなどのヨーロッパ諸国よりは高い。〔　　　〕

Check! 資料読解 1 教科書p.191 7「主要国のGDP成長率の推移」 日本の成長率の推移には他国と比べて，どのような特徴があるか。

2 教科書p.191 8「産業別人手不足の状況」 特定の産業で人手不足が深刻となる理由のうち，最も適当と考えられるものを一つ選びなさい。

① 生産性を向上するための技術革新や生産システムの改善などが進まない。
② 労働力不足を解消するための高齢者や女性の参加が難しい。
③ 外国人労働者の活用が難しい。
④ AIなどの技術による労働力の代替が難しい。

TRY! 現在の日本経済の課題を整理し，どのような対策が必要か，文章の空欄に当てはまる語句を書きなさい。

［課題］ 2008年にはじまった〔ア　　　　　〕，そして急速な〔イ　　　　　〕のなか，近年の日本経済は，経済成長の低下や〔ウ　　　　　〕不足など，さまざまな問題に直面している。

［対策］ 豊かな国民生活を実現していくためには，〔エ　　　　　〕や女性の労働市場への積極的な参加や〔オ　　　　　〕労働者の活用，新たな産業社会への対応が求められ，〔カ　　　　　〕や生産システムの改善などを通じた〔キ　　　　　〕の向上が不可欠である。

2 中小企業と農業

教科書　p.193〜198

〉〉〉〔①〕
中小企業基本法では，製造業では常時雇用者300人以下または資本金3億円以下，サービス業では100人以下または5000万円以下，卸売業では100人以下または1億円以下，小売業では50人以下または5000万円以下の企業を中小企業という。(→教p.193❶)

〉〉〉〔④〕，〔⑤〕のメリット，デメリット
メリット：大企業から継続的な注文を受けたり，技術や資金の援助を受けたりすることができる。
デメリット：景気変動のしわ寄せを受けて親企業である大企業から製造原価の引き下げや発注量を減らされたりする。

〉〉〉中山間地域
都市的地域，平地農村地域以外の農業地域。人口減少率，高齢者率が高く，農業的条件に恵まれていない。(→教p.196❶)

▶中小企業の位置づけ

・全企業のうち99.7%が〔①　　　　　　　　〕(2016年)→日本経済の柱
・〔①〕と大企業との間には賃金や労働時間などで大きな格差
　=〔②　　　　　　　　　　〕→格差を是正し中小企業の発展をはかるため
　1963年に〔③　　　　　　　　　　〕が制定される

▶下請け・系列

・〔④　　　　　　〕…大企業が製造過程の一部を中小企業に請け負わせること
・〔⑤　　　　　〕…人的，技術的，資本的に大企業と密接な関連のある企業

▶中小企業の現状

・日本の賃金が一部のアジア諸国と比べて割高となり，輸出関連の中小企業のなかには苦境に立たされているところも

新しいビジネスモデル

・〔⑥　　　　　　　　　　〕…時代の流れに敏感に反応し，高い専門知識や優れた技術によって成長
・〔⑦　　　　　　　　　〕…環境保全や貧困層の自立支援などを企業目標に掲げ，市場に参入

→〔⑧　　　　　　　　　〕の設置(ベンチャー企業に対する資金提供の場)

▶日本農業の変貌

・戦後の〔⑨　　　　　　　　〕…地主制の廃止
　→農業経営の規模は零細なまま
1961年：〔⑩　　　　　　　　　〕の制定
　→〔⑪　　　　　　　　　〕で米のみが価格保証され，米作依存が継続
　→地価高騰で農地の資産価値が高まり，経営規模が小さいままで他の職業に従事する兼業農家が増加
・米需要の減少→過剰米の発生
　→〔⑫　　　　　〕政策による米の作付け制限(1970年〜)
・高齢化により農業経営の維持が困難→農地が荒廃
　→中山間地域を中心に〔⑬　　　　　　　　　〕が増加

▶国際化と日本農業

【米の輸入自由化】

・GATT〔⑭　　　　　　　　　　　　〕の交渉で，1993年に米の部分的な市場開放を受け入れる
　→1999年から，米の輸入が関税による調整(〔⑮　　　　　　〕)に移行
・〔⑯　　　　　　　〕の制定(1994年)…旧来の食糧管理法にかわるもので，米の流通が市場の調整に委ねられた

【農業の活性化に向けて】

・日本の食料自給率は先進国のなかで最低水準

1999年：〔⑰　　　　　　　　　　　　　　　　　　　　〕の制定

…食料自給率の向上，企業の農業経営への参入の認可

2009年：改正農地法の制定…株式会社やNPOなども農地を自由に借りられる

2010年～：生産者への直接の〔⑱　　　　　　　　　　　　〕が開始

・農業の多面的機能…農業には文化や伝統の基礎を維持する役割も

▶食の安全性と農業の再生

1990年代後半～：遺伝子組み換え作物の登場，BSE（牛海綿状脳症）の発生など，食の安全性を脅かす問題が多発

→〔⑲　　　　　　　　　　　　　　　　　　　〕の導入

【農業再生の試み】

・〔⑳　　　　　　　　〕…地元の消費者が地元の農家から直接農作物を購入

・〔㉑　　　　　　　　〕…生産者自身が農産物の流通・販売を同時におこなう

〉〉〉〔⑱〕
農産物の販売価格が生産費を下回る場合，その差額を政府が補助金で支給して生産者の所得を補償する制度。2013年度からは経営所得安定対策として実施されている。（→教p.197❶）

〉〉〉〔⑲〕
食品の安全性を確保するため，食品が生産者から消費者までどのような履歴を経てきたかを追跡できるようにしておくシステム。（→教p.198❶）

正誤問題　次の文が正しい場合には○，誤っている場合には×を〔　〕に記入しなさい。

1．日本の中小企業は，大企業に比べ一般に生産性が低く，賃金や労働時間，休暇日数など労働条件も及ばない場合が多いが，この状況を経済の二重構造という。〔　　　〕

2．1961年に制定された農業基本法では，大規模農家の育成による農業所得の安定的な向上をめざしたが，兼業農家が増加し，経営規模の拡大は実現しなかった。〔　　　〕

3．食料安全保障の観点から，食料を外国から輸入する政策が進められている。〔　　　〕

Check! 資料読解　**1 教科書p.194 2「企業規模別の格差」　大企業と中小企業でどのような違いがあるのか。次の文章の空欄に当てはまる語句・数字を記入しなさい。**

製造業における中小企業は従業員数〔ア　　　　　〕人以下をさすが，企業規模が下がるほど，各指数は〔イ　　　　　〕していく。

2 教科書p.196 4「主な国の総合食料自給率の推移」　ほかの国と比べて日本だけに見られる傾向を述べた次の文章の空欄に，当てはまる語句を〈語群〉から選んで答えなさい。

日本の食料自給率は，1961年ころは〔ア　　　　　　　〕やイギリスよりも高かったが，その後〔イ　　　　　〕の傾向が進み，〔ア〕にも抜かれ，低い自給率となっている。また，1993年ころの一時の上昇を除いて低下しており，現在は〔ウ　　　　　〕%を下回る横ばい状態で推移している。

〈語群〉　ドイツ　フランス　上昇　低下　30　50

TRY!　**以下の文章を①「自由化における生産性の向上」の課題か，②「自給率の向上」の課題か分類したうえで，いま日本農業に必要なのはどちらか話しあってみよう。**

A　TPP11などの自由貿易協定などで，関税の引き下げが予想される。

B　日本は農地面積が極端に狭い。　A〔　　　〕　B〔　　　〕

3 公害防止と環境保全

教科書　p.199〜202

▶経済成長と公害

・明治期の公害→例：〔①　　　　　　　　〕

・高度経済成長期に全国的に広がる→典型的な産業公害：〔②　　　　　　〕，新潟〔②〕，〔③　　　　　　　　〕，〔④　　　　　　　　〕

▶公害対策の進展

・四大公害訴訟ではいずれも被害者側が勝訴→政府が公害対策に乗り出す

1970年	国が〔⑤　　　　　　　　〕(1967年制定)をはじめ多くの公害関係法を制定
1971年	〔⑥　　　　　　〕の発足…自然保護のための対策 →2001年より環境省に

・〔⑦　　　　　　　　〕…公害により人の生命・健康に被害が生じれば，企業側の故意・過失を立証しなくとも，企業側が賠償責任を負う

・〔⑧　　　　　　　　　　　　〕…公害防止費用は汚染者が負担すべき

・環境基準：濃度規制だけでなく〔⑨　　　　　　　〕も実施

・〔⑩　　　　　　　　　　　　　　　〕(1997年法制化)
…公害による人命損失，自然環境破壊などの被害発生を未然に防ぐ

〉〉〉**濃度規制・〔⑨〕**
公害予防のため，一定濃度以上の有害物質を排出させない規制を濃度規制，有害物質排出の総量に対する規制を〔⑨〕という。(→教p.199❸)

〉〉〉**〔⑩〕**
環境に重大な影響を及ぼすおそれのある開発事業などについて，その影響を事前に調査し，住民など関係者の意見を求めて，開発計画を修正・決定しようとする制度。(→教p.200❶)

▶大量廃棄社会　【1980年代以降の社会問題】

大量生産・大量消費によるごみ問題／生活排水による河川・湖沼の汚濁／処分場の不足や産業廃棄物の不法投棄／ごみの焼却灰や産業廃棄物処分場などからのダイオキシンの検出／断熱材として大量に使用されてきた〔⑪　　　　　〕による健康被害／放射性廃棄物の処分のあり方

▶循環型社会の形成

・〔⑫　　　　　　　　　　　　　　〕(2000年制定)…廃棄物の発生抑制(リデュース)を最優先に，ついで再利用(リユース)，再資源化(リサイクル)を進める「〔⑬　　　　　　　〕」を採用

・近年，〔⑭　　　　　　　　　　　　〕による海洋汚染問題→プラスチック製品の使用規制がはじまる

▶地球規模の環境問題

・工業化や資源・エネルギーの大量消費
・人口増加などによる環境破壊
・地球温暖化
・オゾン層の破壊
・酸性雨
・森林破壊と生物多様性の減少
・砂漠化の進行　など

世界全体で取り組む課題に

1992年	[⑮　　　　　　　　]の開催 →「持続可能な発展(開発)」を提唱
1993年	[⑯　　　　　　　　]の制定…持続可能な社会を築くことを基本理念とする
2018年	第5次環境基本計画の策定 →[⑰　　　　　　　　]や「持続可能な開発目標(SDGs)」などを踏まえつつ,「地域循環共生圏」の創造を提唱 ←[⑱　　　　　　　　]への転換や分散型エネルギーシステムの構築が不可欠

・[⑰]の目標…[⑲　　　　　　　　]の排出量を今世紀後半までに実質ゼロに

→炭素税などの[⑳　　　　　　]が多くの国で採用されるように

→企業では,ESG投資(環境・社会・企業統治を重視する経営が企業の収益にも貢献)の考え方が広がり,自社電力を100%再生可能エネルギーでまかなう[㉑　　　　　　]に加わるところも増加

〉〉〉**持続可能な発展(開発)**
将来の世代が享受する経済的,社会的な利益を損なわない形で現在の世代が環境を利用していこうとする考え方。環境を保全してこそ将来の経済社会の発展が保障される。(→圏p.201❶)

正誤問題 **次の文が正しい場合は○,誤っている場合は×を〔　〕に記入しなさい。**

1. 1960年代に企業を相手に起こされた四大公害訴訟は,すべて原告被害者側が勝訴し,その後,行政の責任を問う訴訟も起こされた。〔　　　〕
2. 日本の公害対策では,環境基準は濃度規制のみなので,総量規制の実施が検討されている。〔　　　〕
3. 循環型社会形成推進基本法では,廃棄物を減らす3Rが定められているが,そのなかで最優先すべきはリサイクル(再資源化)である。〔　　　〕
4. 汚染者負担の原則は,企業が汚染を発生させた場合には,汚染企業が被害を補償し,行政が公害防止費用を負担するという考え方である。〔　　　〕

Opinion! **環境保全と経済発展は両立するのか,以下の二つから自分の意見に近いものを選び,理由も書きなさい。**

X　環境規制の強化は企業への負担となり,産業の競争力を阻害する要因となる。

Y　環境規制を克服するための技術開発や投資が進めば,産業の競争力はかえって強化される。

あなたの選んだ意見は〔　　〕

4　消費者問題

教科書　p.203～207

▶広がる消費者問題

・〔①　　　　　　　　　〕…消費者が自由に商品を選択し，商品の機能・性質・数量などが消費者の意向によって決められる

【〔①〕の実現を阻害するもの】

・〔②　　　　　　　　　　　〕…生産者は商品の情報をもっているが，消費者は十分に判断できるだけの情報をもっていない

・〔③　　　　　　　　　〕…企業が広告や宣伝により消費者の需要を創出

・〔④　　　　　　　　　　　　　　〕…周囲の人々の消費行動が個人の消費需要に影響

〉〉〉**〔③〕**
アメリカの経済学者J.K.ガルブレイス(1908～2006)は『ゆたかな社会』(1958)のなかで，消費者の需要が生産企業の広告・宣伝に依存して作り出されている問題を依存効果と呼び，消費者主権が失われていることを指摘した。(→教p.203❶)

〉〉〉**欠陥の推定**
商品に記載された取扱説明書どおりに使用していて事故にあった場合，その製品に欠陥があったとみなすこと。(→教p.204❶)

▶消費者運動と消費者行政

【消費者による運動】

・商品テスト運動…欠陥商品や有害商品の追放運動

・生活協同組合(生協)運動…安全でよりよい品物をより安く消費者に届ける

・農産物の産直運動…生産者と消費者が「顔の見える関係」に

【行政による取り組み】

1962年：アメリカのケネディ大統領が示した「〔⑤　　　　　　　　　〕」

(1)安全である権利	(2)知らされる権利
(3)選択できる権利	(4)意見が反映される権利

⇩ 日本へ影響を与える

1968年	〔⑥　　　　　　　　　　　　〕の制定…消費者の利益と安全を守る施策 地方公共団体も消費者センターを設置
1976年	〔⑦　　　　　　　　　　　　〕制度の導入…契約を結んだあとでも，一定期間内であれば契約を解除できる
1995年	〔⑧　　　　　　　　　　　　　　〕の施行…企業の無過失責任制を規定←「欠陥の推定」が取り入れられていない
2000年	〔⑨　　　　　　　　　　〕の制定…個別法では対応し切れない不適正な販売方法や契約，悪質業者などから消費者の利益を守る
2009年	〔⑩　　　　　　　　〕の設置→消費者行政の一元化をめざす

▶消費者の自覚と責任

・現代の消費者には，いままで以上に自己責任が求められる

2004年：〔⑥〕が〔⑪　　　　　　　　　　〕に改正…自立した消費者の育成が目的

【カード社会と消費者】

・現金を使わずに決済ができるキャッシュレス時代あるいは〔⑫　　　〕が到来

→〔⑬　　　〕の無計画な利用により多重債務に陥り，〔⑭　　　〕することがないよう適切なカード管理が大切

【大量生産・大量消費社会と消費者】

・〔⑮　　　〕の視点が重要

…環境に配慮した商品選択

【契約に関するルール】

・〔⑯　　　〕の原則…自分の意思でかわした契約は，基本的には尊重され，国家が無効にしたりするべきではないという原則

→一方に契約をするだけの意思能力が欠けていたり，契約が錯誤に基づいておこなわれた場合や契約の内容が公序良俗に反する場合は「無効」となる

※未成年者などが単独で契約をおこなった場合や，契約が詐欺や強迫に基づいておこなわれた場合は，あとから「取り消す」ことができる

〉〉〉〔⑭〕
裁判所が支払い不能であると認定すると，税金を除くすべての債務(借金)が免除される手続きのこと。ただしその後5～10年の間，ローンを組んだりクレジットカードを作ったりすることができなくなり，社会的信用を失うことになる。(→教p.205❶)

正誤問題 次の文が正しい場合には○，誤っている場合には×を〔　〕に記入しなさい。

1．製造物責任法では，消費者が企業側の過失を証明できた場合，損害賠償を受けることができる。〔　　　〕

2．説明書どおり商品を使用していて事故にあった場合は，その製品に欠陥があったとみなされる。〔　　　〕

3．「絶対にもうかる」という言葉で購入した金融商品が値下がり損をしたが，投資は自己責任のため，契約を取り消すことはできない。〔　　　〕

4．契約を結ぶのは個人の自由であるが，いったん契約を結んだ場合，それを誠実に実行する責任が生じる。〔　　　〕

TRY! **消費者としてのあり方について，自由や権利，責任や義務といった観点で述べた次の文章の空欄に当てはまる語句を〈語群〉から選び答えなさい。**

1962年に，アメリカのケネディ大統領が示した「四つの権利」(安全である権利，知らされる権利，選択できる権利，〔ア　　　〕)の影響を受け，日本で1968年に消費者保護基本法が制定され，〔イ　　　〕の枠組みが整えられた。この法律は2004年に消費者基本法へと改正され，〔ウ　　　〕が主な内容となり，消費者の〔エ　　　〕がより一層尊重されることになった。しかし，現代の消費者には，購入しようとする財やサービスに関する情報収集を積極的におこなうなど，いままで以上に〔オ　　　〕が求められている。また，環境問題への関心が高まるなか，環境に配慮した商品を選択する〔カ　　　〕の視点も求められている。

〈語群〉
消費者の自立支援　消費者保護　権利　義務　自己責任　自由
救済される権利　意見が反映される権利　情報の非対称性　グリーン・コンシューマー

5 労働問題と雇用①

教科書　p.208〜210

▶労働基本権

【労働者の権利の確立】

1946年：日本国憲法の制定

第27条…労働権(勤労権)

第28条…労働者の〔①　　　　〕・〔②　　　　〕・〔③　　　　〕(労働三権)

→労働者の経済的地位の向上と民主化

〉〉〉**斡旋・調停・仲介**
斡旋は，使用者・労働者・公益委員で構成される労働委員会で指名された斡旋員が労使双方に自主的解決を促すこと。調停は，調停委員会が調停案を示し，受諾を勧告すること。仲裁は，公益委員だけで構成される仲裁委員会が，拘束力のある裁定を下すこと。(→教p.209❶)

【労働者の権利の具体化】…労働三法の制定

〔④　　　　〕	労働条件の最低基準を定める →最低賃金法の制定(1959年) →監督機関として各都道府県に労働局と労働基準監督署を設置
〔⑤　　　　〕	労働協約を結ぶ権利を定める →争議行為の保障，〔⑥　　　　〕の禁止
〔⑦　　　　〕	労使の主張が対立して，当事者だけでは解決できない場合の調整方法を定める →〔⑧　　　　〕による斡旋・調停・仲裁

▶日本型雇用慣行の変容

【日本的雇用慣行】

〔⑨　　　　〕…定年退職まで同じ企業で働く

〔⑩　　　　〕…年齢が上がるにつれて賃金が上昇

〔⑪　　　　〕…企業ごとに組織される労働組合

→ 経済のグローバル化が進み企業間競争が激化

→企業はコスト削減に動く

・終身雇用制と年功序列賃金制の見直し
・中高年層の人員整理
・年俸制など能力主義的な賃金制度を採用
・正規社員を減らし非正規社員を増員

↓

パートタイマー，アルバイト，〔⑫　　　　〕，契約社員など

〉〉〉**〔⑫〕**
派遣元企業と労働契約を結び，他企業に派遣されてそこでの指揮命令のもとで働く社員。労働者派遣法の施行(1986年)により，限られた業種のみ派遣が認められたが，その後，対象業種が大幅に拡大された。(→教p.209❷)

〉〉〉**契約社員**
給与額や雇用期間など個別の労働契約を企業などと結び，特定の職種で専門的能力を生かしながら働く常勤の社員。雇用契約は原則として最長3年だが，契約更改で延長できる。(→教p.209❸)

→一般に正規社員と比べて非正規社員は低賃金で，雇用期間も短く不安定
　→待遇改善のための政策が求められるように

▶労働者保護の法制度

・働き方の多様化
　→労働条件が個別に決定・変更されることが多くなった
　→個々の労働紛争の増加
　→会社と個々の労働者との間で生じたトラブルを裁判所が迅速かつ適切に解決することをめざした〔⑬　　　　　　　　〕が2006年から施行
↓
・〔⑭　　　　　　　　〕(2008年施行)…正社員と非正規社員間の待遇に均衡がはかられるようにすることなどを定めた法律

正誤問題　**次の文が正しい場合には○，誤っている場合には×を〔　〕に記入しなさい。**

1．日本国憲法は，第27条と第28条で勤労権や労働三権など労働基本権を保障している。〔　　　〕
2．労働三権などを保護する法律として，労働基準法，労働組合法，最低賃金法など労働三法が制定されている。〔　　　〕
3．労働基準法では賃金，労働時間，休日・休暇，解雇手続きなどに加え，不当労働行為の規定がある。〔　　　〕
4．アルバイトでも労働基準法の適用を受けられる。〔　　　〕
5．日本で週に49時間以上働く就業者の割合は，ドイツの2倍以上である。〔　　　〕

Check! 資料読解　**1教科書p.208 1「労働三権の保障状況」　公務員の権利が制限されるのはなぜか。憲法第15条を読んで，以下の文章の空欄に当てはまる語句を書きなさい。**

　憲法第15条には「すべて公務員は，〔**ア**　　　　〕の奉仕者であって，〔**イ**　　　　〕の奉仕者ではない」と定められているから。

2教科書p.209 3「正規社員・非正規社員数の推移」　企業が非正規社員を増やしたのはなぜか。教科書p.210 5「雇用形態・年齢階級別賃金格差」の図を参考に，その理由を記した次の文章の空欄に当てはまる語句を〈語群〉から選んで答えなさい。ただし，同じ語句を何度用いてもよい。

　〔**ア**　　　　〕社員の賃金は，年齢が上がるにつれて上昇する一方，その他の〔**イ**　　　　〕社員は上昇の傾向は見られない。経済のグローバル化が進行し企業間競争が激化するなか，企業は〔**ウ**　　　　〕削減をはかり，〔**エ**　　　　〕などを見直しはじめ，〔**オ**　　　　〕社員を増やすことになったと考えられる。

〈語群〉
終身雇用制　　年俸制　　正規　　非正規
失業率　　コスト

5 労働問題と雇用②

教科書　p.210～214

〉〉〉**パワー・ハラスメント**
power harassment. 上役が権限や地位を利用して，部下に嫌がらせをすること。(→教p.211❷)

〉〉〉**マタニティ・ハラスメント**
maternity harassment. 妊娠や出産をした女性に対する職場での嫌がらせのこと。妊娠や出産を理由に，降格させたり，解雇したり雇い止めにしたり，嫌がらせの言動によって退職に追い込んだりすること。妊娠や出産を理由に解雇したり退職を強要したりすることは，男女雇用機会均等法で禁止されている。(→教p.212❶)

▶労働環境の課題

【労働時間】

・ヨーロッパ諸国と比べて長い日本の総労働時間

> 理由
> ・時間外労働が多い
> ・年次有給休暇が少なく，その取得率が低い

・実働しているにもかかわらず残業代が支払われない〔①　　　　〕の常態化

・心身へのストレスや，過密・長時間労働による〔②　　　　　〕・過労自殺

・過重労働や違法労働により労働者を使い捨てにし離職に追い込む企業の存在

> 〔③　　　　　　　　　　〕(＝仕事と生活の適切な調和)の実現が求められる

【賃金】

・非正規社員の賃金は平均して正規社員の約7割

・女性の賃金は平均して男性の約7割

> 〔④　　　　　　　　　　〕(＝同一の仕事に対して同一の賃金が支払われる)の実現が求められる

【男女間の格差】

・〔⑤　　　　　　　　　　〕が施行(1986年)されて以降，男女間の機会・待遇に関する格差は縮小傾向に

→他の先進諸国と比べるといまだに労働力率や賃金，管理職の比率などで格差が大きい

> 女性が安心して能力を発揮できる環境の整備が求められる

▶育児・介護休業

・これまでは出産・育児と仕事との両立が困難

1992年	〔⑥　　　　　　　　〕の施行…出産後の一定期間，父母のどちらでも育児のために休職可能
1995年	〔⑥〕が〔⑦　　　　　　　　〕に改正(1999年施行)…介護を必要とする家族をもつ労働者に，連続3か月間の休業を認める

▶外国人労働者

・多数の外国人が研究職や技術職などの専門分野で，あるいは研修生や技能実習生として日本で働いている

→単純労働に従事する〔⑧　　　　　　　　〕の存在

←日本では，外国人の単純労働への就労は原則禁止

Check! 資料読解　1教科書p.212 7「主な国の男女賃金格差の推移」　日本の格差がなお大きいことが読み取れる。この理由について述べた次の文章の空欄に当てはまる語句を，教科書p.56も参照しながら答えなさい。

日本では，女性の〔**ア**　　　　　〕や国会議員の割合が他の先進諸国と比べてずいぶんと低い。「男は〔**イ**　　　　　〕，女は〔**ウ**　　　　　〕と家事」という考えも根強く残っている。それらが〔**エ**　　　　　　　〕社会の実現を妨げている。女性の〔**ア**〕の比率が低ければ，結果として，男女での賃金格差も大きくなる。

2教科書p.212 8「女性の年齢別労働力率の国際比較」　日本だけに見られる傾向について，次の文章のア・イから適語を選び完成させ，下線部となっている理由を答えなさい。

日本は20代前半から労働力が急速に高まるが，(**ア**　30代～40代　・　50代～60代　)において，女性の労働力率が下がる，<u>(**イ**　M字型　・W字型　)カーブ</u>となっている。

理由

TRY!　教科書p.214「ジョブ型雇用」と「メンバーシップ型雇用」を読んで，ジョブ型とメンバーシップ型のメリット・デメリットを考えてみよう。

Exercise　職場における男女差別の解消について，次のア～エの提案はどのような考え方に基づいたものだろうか。それぞれについて，最も適当なものを，下の①～④のうちから一つずつ選びなさい(同じ番号を何回用いてもよい)。

ア　職種による男女比率の極端な違いについて，その解消に向けた啓蒙活動をおこなう。〔　　　〕

イ　育児休業について，男性に取得の割り当てを義務づけるような法整備をおこなう。〔　　　〕

ウ　直接差別だけでなく，就職などの場面での間接差別もなくす。〔　　　〕

エ　採用・昇進・定年など労働条件について男女の差別をしない。〔　　　〕

①　自助努力を重視する考え方

②　社会の意識をかえていくことを重視する考え方

③　結果の平等ではなく，機会の平等を重視する考え方

④　機会の平等だけでなく，結果の平等の実現も重視する考え方

6 社会保障①

教科書　p.217～219

▶社会保障の考え方

近代初期：貧困や失業など＝個人の責任

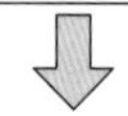

1601年	〔① 〕(イギリス) …慈善的な貧民の救済に限定
19世紀末	社会保険制度(ドイツ) …〔② 〕が導入 …疾病・災害・老廃に関する社会保険を導入
1919年	〔③ 〕(ドイツ) …国民の生存権を保障 …最低限の生活を国民の権利として保障するしくみが社会保障制度として形成

〉〉〉**イギリスの〔①〕**
救貧税によって労働能力のない貧民を救済する一方で，労働能力のある者に対しては強制労働を課すなど，治安維持を主な目的とするものであった。(→教p.217❶)

〉〉〉**〔②〕の社会保険制度**
社会主義者鎮圧法という「ムチ」に対する「アメ」の政策として，疾病・災害・老廃に関する社会保険が導入されたが，失業保険は含まれていなかった。(→教p.217❷)

▶社会保障制度の発展

1930年代

世界的な不況→大量の失業者や生活困窮者が発生，社会問題化

【各国の対応】

アメリカ	社会保障法の制定(1935年) …〔④ 〕の一環

イギリス	〔⑤ 〕の社会保障計画(1942年) →「〔⑥ 〕から墓場まで」の保障追求 →全国民に最低限度の生活水準〔⑦ 〕を保障することを目的

1979年～：「〔⑧ 〕」をめざす動き(サッチャー政権)
→社会保障関係費を大幅削減

【社会保障の国際比較】

・スウェーデンやノルウェーなどの北欧諸国
…国民すべてを対象とする社会保険の実施
→必要に応じて無差別平等の最低限の保障，主として公費負担
＝国民の租税負担率は高い(**北欧型**・〔⑨ 〕**型**)

・フランスやドイツ
…被雇用者，自営業者などそれぞれの社会階層ごとに別々の制度
→所得の高さに応じて保険料と給付額が決定，主として保険料
(**ヨーロッパ大陸型**・〔⑩ 〕**中心型**)

〉〉〉**介護保険**
介護が必要な人は市町村に申請し，ケアプランに基づいて，１割の自己負担(一定以上の所得がある者は２割または３割の負担)で介護サービスが受けられる。(→教p.219❷)

▶日本の社会保障制度

〔⑩〕	…疾病・老齢・失業・労働災害などに対して，一定の基準で現金やサービスを提供(強制加入) …費用は被保険者と事業主，および国や地方公共団体が一部負担 種類 医療保険，〔⑪　　　　　　〕，雇用保険，労災保険(費用は事業主のみが負担)，介護保険
〔⑫　　　　〕	…生活困窮者に最低限の生活を保障 …費用は全額税金 →〔⑬　　　　　　〕に基づき，生活費，教育費，住宅費などを援助
〔⑭　　　　〕	…生活に不安がある児童・高齢者・母子家庭・障がい者などを支援(手当の支給，施設やサービスの提供) …費用は全額税金
〔⑮　　　　〕	…国民の健康の維持・増進が目標 …感染病予防，難病対策，公害対策など …保健所を中心とした組織的な取り組み

〉〉〉**国民皆保険・国民皆年金**
1958年の国民健康保険法改正と1959年の国民年金法制定により，国民皆保険・国民皆年金が実現した。(→教p.219❶)

Work **日本における社会保障は，社会保険・公的扶助・社会福祉・公衆衛生の四つの分野から成り立っているが，高齢者への所得保障の一つである公的年金と同じ分野に属する例として，最も適当なものを次の①～④のうちから一つ選べ。**

① 最低限度の生活が維持できない人は，日常生活のために必要な金銭などの給付を受けることができる。
② 病原性大腸菌O157による患者が発生した場合に，保健所は，感染源の調査を行うとともに，さらなる感染を防止するための措置を講ずる。
③ 国民は，いずれかの医療保険に加入することによって，病気やけがをしたときに，医療費の一部を負担するだけで治療を受けることができる。
④ 仕事や病気などのために，乳児または幼児を保育することができない保護者は，市町村の保育サービスを受けることができる。

(2002年センター試験現代社会本試)

[　　　　]

Check! 資料読解 **教科書p.218❷「社会保障の国際比較」 下の二つの文章のア～オから適切な語を選び，完成させなさい。**

1．日本は「大きな政府」なのか，「小さな政府」なのか，確認してみよう。

国民負担率のグラフを見ると，日本の国民負担率はヨーロッパ各国より(**ア** 低い ・ 高い)。つまり，ヨーロッパ各国に比べ，日本においては国家は積極的に経済に介入しているとはいいづらく，(**イ** 大きな政府 ・ 小さな政府)に近いものと考えられる。

2．社会保障給付費のグラフから，日本の社会保障政策の特徴を読み取ってみよう。

社会保障給付費のグラフを見ると，日本の医療と年金の割合は他の先進国と比べて比較的(**ウ** 低く ・ 高く)，福祉その他の割合が(**エ** 低い ・ 高い)。また，全体の割合を見ると，日本は国際的に(**オ** 低水準 ・ 高水準)であることがわかる。

6 社会保障②

教科書　p.220〜223

▶少子高齢社会への対応

【少子化の原因】…子育てにともなうさまざまな負担など

・対策…育児休業制度の充実，保育所の拡充による「〔①　　　　　　　〕」の解消，育児などに関する費用の公的負担の拡大，ワーク・ライフ・バランスの実現など

【高齢化の進行】

→要介護の高齢者増加（介護サービスの充実が必要）

〔②　　　　　　　　　〕…高齢者の家を訪問して介護
デイサービス …食事や入浴などの日帰りサービス
〔③　　　　　　　　　〕…老人ホームなどに入所して介護を受けるサービス

・課題…介護労働者の人員確保・労働条件の改善など

▶社会保障制度の課題

【年金財源と給付水準】

いまの年金制度は，現役労働者の納める保険料でその年の給付額をやりくりするしくみ（〔④　　　　　　〕）が基本

↓

少子高齢化の進行

↓

保険料負担が大きくなる一方，将来の年金給付が少なくなると予想

↓

負担と給付の適正化が必要

【社会保障における制度間格差】

(例)：年金制度…1986年，〔⑤　　　　　　〕（国民年金）が導入された
→職業によって制度が異なるため，保険料や給付水準に大きな格差

↓

格差の解消と制度の一元化が課題

【急増する高齢者の医療費】

1983年：〔⑥　　　　　　　　〕
2008年：〔⑦　　　　　　　　　　〕

↓

高齢者の自己負担増大

↓

生活保障の観点から制度の見直しが必要

【高齢者や障がい者のための社会福祉】

・〔⑧　　　　　　　　　　〕の実現…高齢者や障がい者も，健常者と同じように社会に参加して生活できるようにすべきだとする考え方

⇨ バリアフリーの街づくり，〔⑨　　　　　　　　　　　〕の商品開発，〔⑩　　　　　　　　〕の制定（1987年）など

〉〉〉**特別養護老人ホーム**
常時介護が必要で自宅介護が困難な場合に，日常生活の介護や健康管理などの生活支援を受ける公的施設。

〉〉〉**積立方式**
被保険者自らが年金受給費用を在職期間中に積み立てる制度。（→教p.221❶）

〉〉〉**〔⑩〕**
障がい者雇用の促進を求める法律。2021年現在，民間企業では2.3%，国・地方公共団体などでは2.6%の法定雇用率を定めている。（→教p.222❶）

【格差社会への対応】

非正規雇用の急増

→低所得層(〔⑪　　　　　　〕)の増大

→生活保護制度によっても救済されない貧困層の存在

- ・子育て，教育，就労支援などの人生前半の社会保障の充実も必要
- ・人生の全期間を通して生存権が保障された**福祉社会**を実現するため，〔⑫　　　　　　〕の再構築が必要

Check! 資料読解 **1教科書p.221 7「社会保障給付費の推移」　1990年から2010年にかけて社会保障給付費の対国民所得比が急増しているのはなぜか。教科書p.220 5「主な国の高齢化率の推移」を参考にして答えなさい。**

2教科書p.222 8「生活保護受給者・受給世帯数の推移」　生活保護受給者が90年代後半以降に急増したのはなぜか。教科書p.190〜192で確認し，以下の文章の空欄に当てはまる語句を答えなさい。

90年代の日本経済が，「平成不況」と呼ばれる長期不況に突入したなか，企業は経営の〔**ア**　　　　〕の名のもとに大幅な人員削減をおこない，労働者の〔**イ**　　　　〕を抑制した。その結果，〔**ウ**　　　　〕が急増し，働いているにもかかわらず，日常生活の維持が困難な状況に置かれる〔**エ**　　　　〕と呼ばれる低所得層が増大したから。

3教科書p.223 1「厚生年金の受益・負担の世代別比較」　若い世代ほど負担に対する受益の割合が低くなる理由を答えなさい。

Exercise **これからの社会保障政策について，次のア〜エの政策はどのような考え方に基づいたものだろうか。それぞれについて最も適当なものを，下の①〜⑤のうちから一つずつ選びなさい。**

ア　教育や失業対策に関する支出の割合を大きくさせる政策

イ　公的な社会保障を充実させるために，税と社会保障の国民負担率を上げる政策

ウ　地域のなかで，介護と医療・住まい・生活支援を一体的に提供するための拠点づくりを進める政策

エ　公的な社会保障制度を充実させるかわりに，個人が拠出するタイプの民間の社会保険の制度を充実させる政策

①　大きな政府を望ましいとする考え方　　②　小さな政府を望ましいとする考え方

③　若年世代向けの給付をとくに重視する考え方　　④　高齢者向けの給付をとくに重視する考え方

⑤　互いに助け合うこと(共助)を重視する考え方

ア	イ	ウ	エ

Active 少子高齢社会の社会保障はどうあるべきか　教科書 p.224〜225

☑振り返りチェック

1 教科書p.218 2「社会保障の国際比較」を参考にして，次の文章の〔 A 〕〜〔 D 〕に適語を書きなさい。

アメリカや日本を除いて，国民負担率ではスウェーデンやイギリスで〔A 〕の比率が大きく，ドイツやフランスでは〔B 〕の比率が比較的大きい。また社会保障給付費では，個人に直接支払われる〔C 〕の比率が比較的大きいドイツやフランスに対して，スウェーデンでは〔D 〕の比率が最も大きな割合を占めている。こうした状況から，「北欧型」と「ヨーロッパ大陸型」の制度を特徴づけることができる。

2 教科書p.221 7「社会保障給付費の推移」を参考にして，次の文章の〔 A 〕〜〔 C 〕に適当な数値または語句を書きなさい。

2020年現在，社会保障給付費は総額で〔A 〕兆円をこえ，とくに高齢化にともない〔B 〕と〔C 〕給付で約70%を占める。

3 基礎年金の財源を社会保険方式から税方式に変更する議論に関して，次の文のなかで税方式を説明しているものを二つ選びなさい。　〔 〕

A　各人が自分の人生におけるリスクに，自らの備えで対応する。
B　個人のリスクを社会全体で共有する。
C　この方式にすると，低年金者や無年金者があらわれる。
D　負担と給付の関係が不明確になり，場合によっては不公平感が生じる。

Check! 資料読解　1 教科書p.224 1「政策分野別社会支出の国際比較」を見て，以下の問いに答えなさい。

問1　日本の特徴を読み取った以下の文章の空欄に当てはまる語句を答えなさい。

日本は他国に比べて保健や〔① 〕に対する支出の割合が大きい。また，〔② 〕と〔③ 〕に対する支出の割合が非常に小さい。

問2　積極的雇用政策や失業の項目に多く支出している国をあげ，日本のおよそ何倍か答えなさい。

国名〔 〕　およそ〔 〕倍
※小数点以下四捨五入

2 教科書p.224 2「教育支出の国際比較」を見て，以下の問いに答えなさい。

問1　日本の特徴を読み取りなさい。

問2　教育支出のなかで公的支出の割合が高い割合を占める国を三つあげなさい。

〔 〕

TRY! これからの社会で重点を置くべき社会保障政策について，考えてみよう。

1 教科書p.218 2「社会保障の国際比較」と教科書p.225 4「アメリカとスウェーデンの社会保障の比較」を参考にして，右のマトリクス表に関して答えなさい。

高福祉
A　B
低負担 ⇦ 日本 ⇨ 高負担
C　D
低福祉

問1　日本より国民負担率が低く，社会保障給付費も低いアメリカは，A～Dのどの位置にあると考えられるか。〔　　〕

問2　スウェーデンはA～Dのどの位置にあると考えられるか。〔　　〕

問3　今後の日本はA～Dのどの方向に進めるべきだと考えるか，理由も答えなさい。

〔　　〕

2 また，必要となる財源について，社会全体で負担する税などの公費がよいのか，自己責任による民間保険などの私費がよいのかを検討し，どのような社会をめざすのか，話しあってみよう。

あなたの考え	他の人の考え
①財源は公費か私費か	①
② ①の根拠となる資料を選んでみよう	②
③あなたがめざす社会はどのような社会ですか	③

経済活動のあり方と国民福祉

教科書 p.184〜229

Check ✓ 重要用語

1．日本経済の歩みと近年の課題

❶GHQがおこなった経済改革の一つ。政府が地主から土地を買い上げ小作制度を廃止し，自作農を創出した。 ❶

❷1950年代後半から1970年代はじめまでの日本の経済発展。年率約10%という高い経済成長率を実現した。 ❷

❸1973年，産油国の原油価格値上げで生じた世界的な経済混乱。日本でも原油価格が4倍になり，翌年経済成長率がマイナスになった。 ❸

❹資産価格が経済の実態を離れて上昇し続ける経済状況。日本では1980年代後半に発生した。 ❹

❺回収不能となった金融機関などの債権。 ❺

❻企業の業務や組織再編のこと。人員整理が前面に出ると，失業率上昇の原因となる。 ❻

❼「官から民へ」「中央から地方へ」をスローガンとして，小泉政権がおこなった改革。 ❼

2．中小企業と農業

❽大企業と中小企業間で，設備投資率や生産性，労働条件などの格差が生じている経済状況。 ❽

❾高い専門性や技術力を発揮して成長を続ける中小企業。 ❾

❿環境保全や貧困層の自立支援などを目標に掲げる企業。 ❿

⓫米の過剰生産を解消するため，休耕や転作などにより米の作付け面積を減少させる生産調整。 ⓫

⓬農業基本法を受けて1999年に成立した日本の農業政策の基本法。自給率向上，農村振興，企業の農業への参入などを内容とする。 ⓬

⓭農産物の販売価格が生産費を下回る場合，その差額を政府が補助金で支給して生産者の所得を補償する制度。 ⓭

⓮地元の農産物を，地元で消費しようとする運動。 ⓮

3．公害防止と環境保全

⓯1960年代後半，熊本水俣病，新潟水俣病，イタイイタイ病，四日市ぜんそくに関しておこされた訴訟。 ⓯

⓰1967年に制定された，公害対策の総合的推進をはかるための法律。1993年の環境基本法に受けつがれた。 ⓰

⓱公害防止費用は，汚染者が負担するという原則。 ⓱

⓲環境に影響を及ぼす可能性がある開発事業について，その影響を事前に調査・予測し，その結果を踏まえて開発計画を決定する制度。 ⓲

⓳リデュース，リユース，リサイクルの「3Rの原則」を定め，廃棄物の削減をめざして2000年に制定された法律。 ⓳

⓴1992年に国連が開催した，「持続可能な発展(開発)」が提唱された会議。 ⓴

㉑石炭や石油のなどの使用量に応じて課税する炭素税などの税。 ㉑

㉒環境・社会・企業統治を重視する経営が企業の収益にも貢献するという考え方。 ㉒

4．消費者問題

㉓1962年，消費者の四つの権利を示したアメリカの大統領。	㉓
㉔訪問販売などで，一定期間であれば，消費者が無条件で契約を解除できる制度。	㉔
㉕欠陥商品による被害の救済を目的に，1995年に制定された法律。企業の過失の証明なしに賠償を受けられる無過失責任が特徴。	㉕
㉖内閣府の外局として2009年に設置された，消費者行政を一元化するための行政機関。	㉖
㉗自由で平等な個人どうしが自分の意思でかわした契約は，基本的にはどのようなものであれ尊重されるべきである，という原則。	㉗

5．労働問題と雇用

㉘憲法で定められた，労働者の団結権，団体交渉権，団体行動権。	㉘
㉙労働者の適正な労働条件を守るため，賃金，労働時間，休日・休暇，解雇手続きなどについて，その最低基準を定めた法律。	㉙
㉚使用者が労働組合運動を妨害したり，正当な理由もなく団体交渉を拒否したりする行為。	㉚
㉛企業が定年まで従業員を雇用する制度。	㉛
㉜勤続年数に応じて決まる賃金。	㉜
㉝パートタイマーやアルバイト，派遣社員や契約社員のように，正社員とは異なる条件で雇用される社員。	㉝
㉞長時間労働を改善するために求められている労働と生活の適正なバランス。	㉞
㉟労働条件の男女格差をなくすために，募集・採用・昇進・定年などで男女間の差別を禁止した法律。	㉟

6．社会保障

㊱1942年，イギリスで「ゆりかごから墓場まで」をキャッチフレーズに，全国民に最低限の生活を保障することを目的に発表された報告書。	㊱
㊲日本の社会保障制度の柱の一つ。生活保護の扶助には，生活・教育・住宅・医療・出産・生業・葬祭・介護の8種類がある。	㊲
㊳15~49歳の女性の年齢別出生率を合計したもの。日本では2005年に1.26まで低下した。	㊳
㊴支援や介護を必要とする在宅高齢者に日帰りの介護サービスをおこなうこと。	㊴
㊵必要な年金給付費用を現役世代のその年の保険料でまかなう制度。	㊵
㊶建物や交通機関，あるいは就職条件などで障がい者にとっての障壁を除去していくこと。	㊶
㊷健常者・障がい者を問わずすべての人が使いやすいように設計されたデザイン。	㊷

演習問題

1日本政府が少子化対策として行っている施策に関する記述として適当でないものを，次の①～④のうちから一つ選べ。

① 保育所の施設を拡充して，待機児童の問題を解消する。

② 女性労働者の時間外・休日労働を禁止して，子育てのための時間を増やす。

③ 妊娠・出産を機に離職した女性が，子育て後に再就職できる機会を増やす。

④ 職場で父親が育児休暇を容易に取得できるような環境を整える。

（2007年センター試験現代社会本試）

2ケン君とミキさんは少子化の問題を話しあってみました。次の会話文や資料を読んで以下の問いに答えなさい。

ケン　これまでの学習を振り返って，少子化の原因を考えてみよう。少子化の原因について次のチャート図のように整理してみたよ。

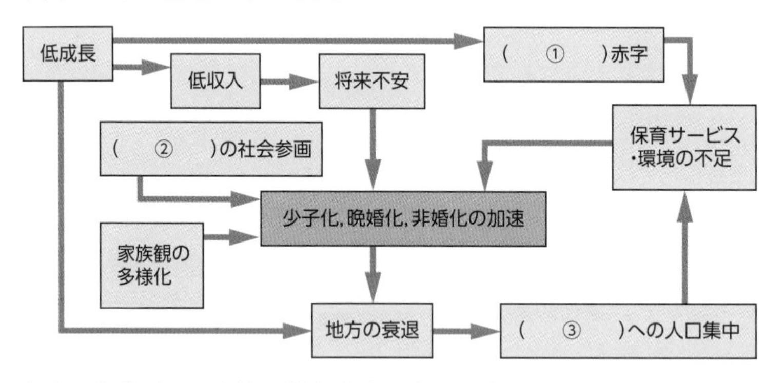

ミキ　多くの先進国では女性の社会進出が進むと少子化が進むみたい。それはどうしてかしら？

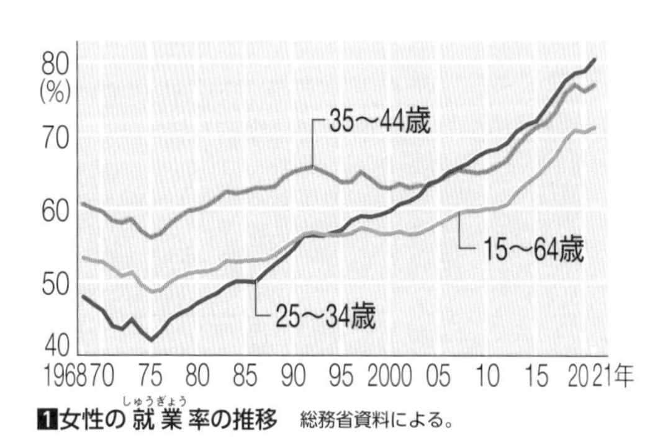

1女性の就業率の推移　総務省資料による。

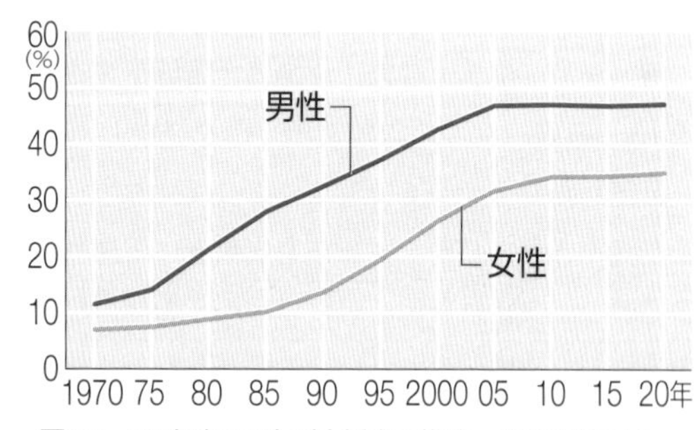

230～34歳時の男女別未婚率の推移　総務省資料による。

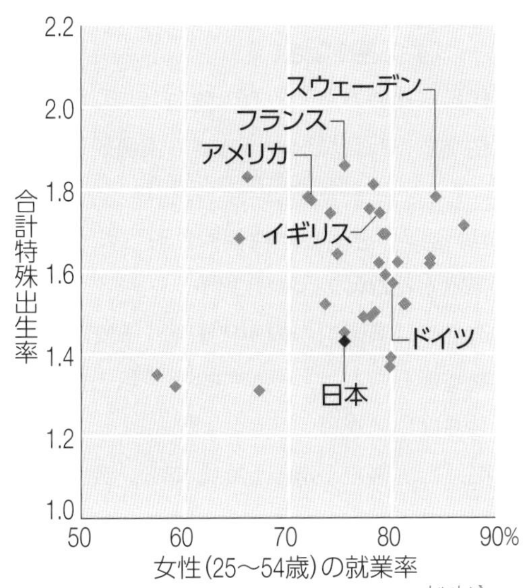

3 OECD諸国における女性の就業率と合計特殊出生率の関係 2017年。OECD資料による。

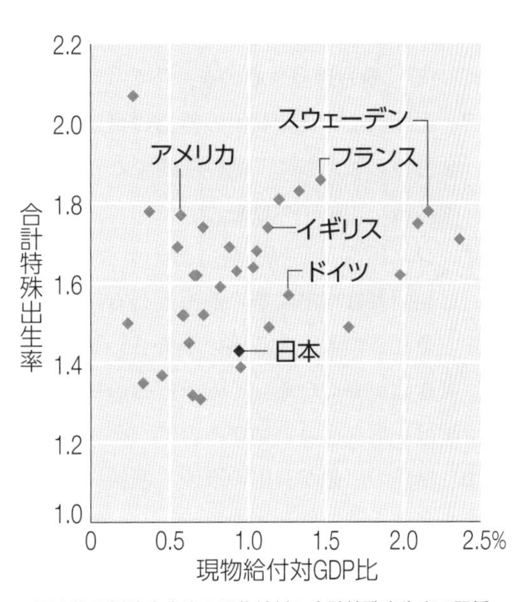

4 家族関係政府支出の現物給付と合計特殊出生率の関係 2017年。OECD資料による。

ケン　1と2の資料を見て考えてみよう。二つの資料からどのようなことが言えるかな？

ミキ　女性の(①)が高まるとともに(②)が上昇していることがわかるわ。

ケン　女性が男性と同様に働けるようになると，女性は必ず結婚しなければならないというわけではないということなのかな。

ミキ　どうしたら働きながら，安心して子どもを産み育てる環境を整えることができるのかしら。3と4の資料を見て，他の先進国の少子化対策について考えてみましょう。

ケン　資料を見ると，他の先進国は女性の社会進出が進んでも，必ずしも日本のように少子化が進んでいるわけではなさそうだね。

ミキ　女性が安心して子どもを産み育てるためには家族手当などの現金給付に加えて，(③)の充実などの現物給付の充実が不可欠だと思うわ。

ケン　日本では，共働き世帯でも，女性が家事や育児などの無償労働を負担していることも改善されるべきだね。男性の家事や育児への参加と，それを可能にする働き方にかえる必要があるとうことだと思う。

ミキ　女性の就業率も高く，家族関係政府支出の現物給付の高い先進国のなかで，合計特殊出生率が高い(　④　)の少子化対策を調べてみることにするわ。

問1　チャート図の空欄(　①　)～(　③　)に当てはまる語句を答えなさい。

問2　会話文の空欄(　①　)～(　④　)に当てはまる語句や国名を答えなさい。

問3　日本で出生率が上がらない理由を，「機会費用」という語句を使用して説明しなさい。

問1	①	②	③	
問2	①	②	③	④
問3				

3 **格差・貧困問題に関して，次のア～エの意見はどのような考え方に基づいたものだろうか。それぞれについて，最も適当なものを，下の①～④のうちから一つずつ選びなさい。**

ア　正社員と非正規雇用の処遇の格差の問題は，現代日本社会のもつ特有の問題だ。したがって，現代を生きる私たちに共通の問題であり，この制度が私たちの社会が求める共通の価値観に見合ったものであるか検証すべきだ。（　　　）

イ　ジニ係数が上昇傾向にあるからと言って，所得の再配分を国家が積極的におこなうことには反対だ。国家は自由競争の前提となる，機会の平等を保障するだけでよいと思う。（　　　）

ウ　子どもの学習する機会が著しく制約されると，進学や職業選択の幅が狭まり，不安定な生活に陥る可能性が高くなる。その子どもの生き方の幅が少なくなることは，経済的な損失以上に人間としての幸福を損なうことになるので，それを自己責任としてはいけない。（　　　）

エ　格差の問題が貧困の原因と直接つながることは問題だ。格差があったとしても，貧困の問題が生じないよう，累進課税の見直しなど財の再分配を検討すべきだ。（　　　）

① ロールズ：公正としての正義，リベラリズムの考え方
② セン：福祉・厚生の考え方
③ ノージック：リバタリアニズムの考え方
④ サンデル：コミュニタリアニズムの考え方

4 **Aさんは，リビングにいた祖父と，公的年金の問題について話し合った。そのなかでAさんは，年金制度と関わりの深い物価変動や景気の長期的な傾向が気になったので，国民年金法が施行された1961年から2018年までの，消費者物価指数に基づく物価変動率（点線）とGDPに基づく実質経済成長率（実線）の推移をグラフにしてみた。このグラフから読み取れることとして最も適当なものを，下の①～④のうちから一つ選びなさい。**

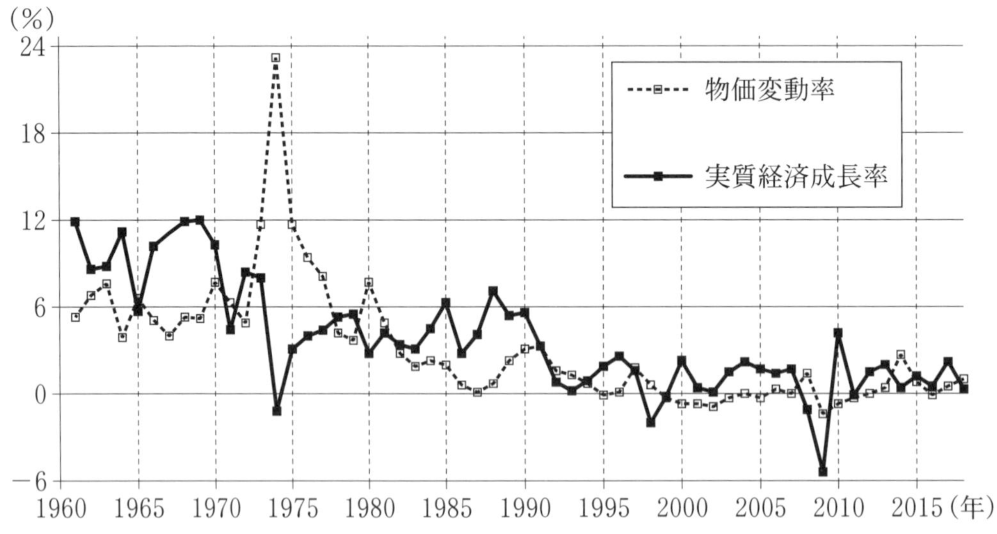

内閣府「平成24年度　年次経済財政報告」（内閣府Webページ），2001年以降の物価変動率は「2015年基準消費者物価指数」（総務省統計局Webページ），2001年以降の実質経済成長率は内閣府経済社会総合研究所「2018年度国民経済計算」（内閣府Webページ）により作成。

① 1961年から1969年までは物価上昇が継続したため，実質GDPは減少していったと判断される。
② 1975年から1979年までは，実質GDPの減少と物価の上昇が継続したと判断される。
③ 1987年から1991年までの物価上昇傾向から一転し，1992年から1999年までは，物価の下落が継続したと判断される。
④ 2001年から2018年までは，1960年代や1970年代と比べて物価の上昇率は小さいと判断される。

〈2022年大学入学共通テスト現代社会追試を一部修正〉

5 経済発展と環境問題について，次のア～エの選択・判断はどのような根拠に基づいたものだろうか。それぞれについて最も適当なものを，下の①～④のうちから一つずつ選びなさい。

ア　経済発展があれば科学技術の発展も進み，環境問題の解決に向けた知恵も将来的に得ることができる。そうすれば，現在にいくらかの環境保全のマイナスがあっても，差し引きでプラスとなり，すべての人が経済発展の恩恵を受けることができる。

イ　人間も生態系の一部であり，人間の活動だけで地球資源を枯渇してしまうことは許されない。私たちは環境保全をする責任をもっており，その責任は未来の世代に対する責任でもある。したがって環境保全を優先すべきである。

① 最大多数の最大幸福をもたらす結果を重視するべきである。
② 単純に多くの人の意見に従った決定を重視するべきである。
③ 行為の動機となる義務を重視するべきである。
④ 常に正しく行為するような性格をもつことを重視するべきである。

ア	イ

6 ベーシック・インカムについて，次の会話文中の［　X　］・［　Y　］に入るものの組合せとして最も適当なものを，下の①～④のうちから一つ選びなさい。

B：ねえ，ベーシック・インカムって何？

A：現在の社会保障制度では個人や世帯に対して社会保険や社会福祉，公的扶助などでさまざまな給付があるよね。しかしそれぞれについて，さまざまな審査や手続きなどもある。そこでこれらを廃止し，個人単位で，生活に必要最低限度のお金を無条件に，しかも全ての人に同じ金額で支給しようという考え方のことなんだ。

B：でもみんなが同じ金額をもらうということは本当に公正といえるのかな。

A：それじゃあ，ベーシック・インカムの考え方が制度として実施されるとしたらどのようなことが考えられるだろうか。

B：まず賛成の意見としては，［　X　］という発言が出てくることが考えられるし，反対の意見としては，［　Y　］という発言が出てくることが考えられるね。

A：そうだね。まだこれはアイデアでしかないけれど，より良い社会保障政策を考えるのであれば，いろいろな可能性を探究していくことが大切だね。

ア　財政支出の削減を主張する人から，国は全ての人に一律に同じ金額を給付するだけの業務になるから，審査や手続きにかかわる作業が削減されることで，社会保障政策を実施する上での行政的な手続きにかかわる費用は減る

イ　起業しようと考えている人から，起業が成功するかどうか分からなくても，ベーシック・インカムが導入されたら必要最低限度の生活が保障されるので，起業しやすい

ウ　財政赤字を解消することを考えている人から，ベーシック・インカムによる給付金額を高くすると財政支出が増大する

エ　障がいがある人から，全ての人が同じ金額しか給付されないので，生活を維持するためには不十分になる

① X－ア　Y－エ　② X－イ　Y－ア　③ X－ウ　Y－イ　④ X－エ　Y－ウ

〈2018年大学入学共通テスト試行調査現代社会を一部修正〉

1 国際社会における政治と法

教科書　p.232〜236

▶主権国家体制

・国際社会は国家を基本単位とし，国家には〔①　　　　〕が認められる
・国家は互いに平等で，域外の権力に干渉されず，同意したこと以外に拘束されない独立性を有する
　→〔②　　　　　　〕…1648年の〔③　　　　　　〕を原型とし，18世紀にかけて定着
　→19世紀以降は〔④　　　　　　〕が特定の民族と領域とを強く結びつけるようになる

▶国際政治の特質と国際法

・国際政治…国家が利益(国益)実現のために，国力を用いて関係国の行動を制御する〔⑤　　　　　　〕(パワー・ポリティクス)の性格をもちやすい
　→諸国家は〔⑥　　　　〕を通じて利害を調整
・国際法…国家相互の関係を規律する法
　→オランダの法学者〔⑦　　　　　　〕が**『戦争と平和の法』**をあらわし，理論的基礎を築く

国際法の種類
・〔⑧　　　　〕…国家間で合意したもの
・〔⑨　　　　　　〕…国家間の慣行が法として認められたもの

▶国際法の発達

・20世紀…国際法が規律する国家の行動の範囲が，戦争と平和の問題から，貿易，金融，人権保障，環境保全などの諸問題へと広範に
・戦争の違法化の進展
　1928年：〔⑩　　　　　　〕…戦争自体を違法化
　1945年：〔⑪　　　　　　〕…武力による威嚇および武力の行使を禁止
・国際裁判の制度も整備され,〔⑫　　　　　　〕(ICJ)と〔⑬　　　　　　〕(ICC)が設置されている

【歴史のなかの領土と領海】
・15世紀末以降：ヨーロッパ諸国の海外進出がはじまる
　→そこで「発見」された土地は〔⑭　　　　　　〕に基づいて，ヨーロッパ諸国の植民地に
・18世紀：〔⑮　　　　　　〕の原則が承認され，海洋が領海と公海に二分

▶領土問題

・日本は，北方領土(対ロシア)，竹島(対韓国)，〔⑯　　　　　　〕(対中国)などの問題を抱える
　背景
　無主地の先占に従って日本が領有した領域が，サンフランシスコ平和条約で日本が放棄した地域に含まれるかどうかをめぐって生じた利害対立

〉〉〉〔⑦〕
オランダの法学者。『戦争と平和の法』で，何が正しい戦争かまた戦闘方法の制限などを論じ，「国際法の父」と呼ばれる。

〉〉〉〔⑫〕
・1945年設立
・国家間の紛争を審理
・紛争当事国双方の同意のうえで解決手続きがおこなわれる。

〉〉〉〔⑬〕
・2003年活動開始
・集団殺害(ジェノサイド)などを犯した個人を処罰
・締約国や安保理が訴追できる。

〉〉〉〔⑭〕
どの国も領有していない地域を，領有の意思をもって実効的に占有することによって自国の領域とすることができるとする法理論(国際慣習法)。(→教p.233❹)

〉〉〉**北方領土問題**
サンフランシスコ平和条約で日本が領土権を放棄した千島列島に，国後島と択捉島が入るかについて，日ロ間で条約の解釈が異なる。ロシアは，ヤルタ協定で，千島列島がソ連に引き渡されることになっていたと主張する。一方，日本は，ヤルタ協定の当事国ではないため協定には拘束されないとし，両島は，日本「固有の領土」であり，放棄した千島列島には含まれないと主張している。

→日本はそれぞれ領有を放棄しておらず，平和的解決をめざしている

▶非国家主体の登場

・国際機構…国際連盟や国際連合など

・地域機構…〔⑰　　　　〕(欧州連合)や〔⑱　　　　〕(東南アジア諸国連合)など

・企業…マス・メディアも含む

・〔⑲　　　　〕(非政府組織)…軍縮条約の締結などにおいて重要な役割を果たす

正誤問題 **次の文が正しい場合は○，誤っている場合は×を〔　〕に記入しなさい。**

1．第二次世界大戦の反省に基づいて「戦争放棄に関する条約(不戦条約)」が締結された。〔　　　〕

2．国際刑事裁判所は，集団殺害罪や人道に対する罪など国際法上の犯罪を犯した個人を裁くために設置された。〔　　　〕

3．国連海洋法条約においては，領海は基線から200海里までと定められている。〔　　　〕

4．尖閣諸島については，日本が実効支配しており，領有権の問題もないとされる。〔　　　〕

Work **国際司法裁判所について述べた次の文のなかで，正しいものをすべて選びなさい。**

① 集団殺害(ジェノサイド)などを犯したものを訴追・処罰することができる。

② 紛争当事国が合意した場合に限り，審議し判決を下すことができる。

③ どちらか一方の国が訴えたことによって裁判がはじまる。

④ 国連などからの要請を受け，法律問題について勧告的意見を出す権限をもつ。

〔　　　　〕

Check! 資料読解 **教科書p.233 1「国際法と国内法の比較」 国際法と国内法はどのように異なるのか，次の文章の空欄に当てはまる語句を記入しなさい。**

互いに平等で独立した，〔ア　　　　〕国家から成り立つ国際社会では，国内社会とは異なり，その上位に立つ中央〔イ　　　　〕のようなものがない。また，〔ウ　　　　〕は，国内法とは異なり，受け入れに同意した国だけしか拘束せず，また多くの場合，国内でそのまま効力をもつわけではない。〔エ　　　　〕の裁判も紛争当事国双方の合意が必要となる。

TRY! **領土問題をどのように解決すべきか。次の文章のうち，法の支配の観点から述べたものとして最も適当なものを一つ選びなさい。**

① 当事国で交渉し，国際司法裁判所に付託する。

② 地域住民の生活や資源の活用なども考慮しながら，自国の利益を優先する。

③ 現在実効支配している国の領有が認められるべきである。

〔　　　　〕

2 国家安全保障と国際連合

教科書　p.237〜241

▶勢力均衡政策の破たん

【第一次世界大戦前の安全保障】

・〔①　　　　　　　　　〕…利害を異にする特定の国家あるいはそれが形成する同盟に対抗して，軍備の増強や同盟形成を通じて国家の結集をはかる政策
→同盟間の軍拡競争が激化，国際緊張を招く

▶国際連盟と集団安全保障

【第一次世界大戦後の安全保障】

・〔②　　　　　　　　〕(1920年発足)…アメリカのウィルソン大統領が提唱した〔③　　　　　　　　　〕に基づく
→〔①〕にかわるものとして〔④　　　　　　　　　　〕体制を採用
↓
各加盟国が武力の不行使と，平和を乱す国家に対する制裁とを約束するもので，約束を破る国には制裁が下され平和維持がはかられる

【機能しなかった国際連盟】

・国際連盟は，1930年代の日独伊による侵略行為を抑止できず，かつ事後に有効な制裁措置をとることができなかった
→第二次世界大戦の拡大とともに崩壊

〉〉〉**国際連盟の欠陥**
(1)提唱国であるアメリカ不参加
(2)ソ連の加盟は一時期のみ
(3)主要国の日本・ドイツ・イタリアの脱退
(4)武力行使を全面的に禁止しなかった
(5)侵略国の認定や強制措置の発動を各加盟国の判断に任せた
(→教p.237❷)

▶国連の集団安全保障体制

【第二次世界大戦後の安全保障】

・国際連合憲章の採択を通じ，〔⑤　　　　　　　　　　　　〕発足(1945年)
→武力行使を全面的に禁止，平和に対する脅威を認定し強制措置をとる
・〔⑥　　　　　　　　　　　　〕…国際の平和と安全の維持に責任をもつ
→米・英・仏・ロ・中の5常任理事国と，任期2年の10非常任理事国で構成

決議の採択
・全常任理事国を含む9理事国の同意が必要
・常任理事国には，決議の成立を阻止する権限である〔⑦　　　　　〕が認められている(＝**大国一致の原則**)

・国連憲章では，武力行使の例外として，〔⑧　　　　　　　　　〕の行使に加えて，同盟を組む諸国による〔⑨　　　　　　　　〕の行使を認める
・加盟国による武力行使を認める安保理の決議に基づき，紛争地域に〔⑩　　　　　　　〕が派遣されることも
→1991年の〔⑪　　　　　　　〕をはじめ，大国も兵力を提供する〔⑩〕を形成
・国連の安全保障体制を補完する便宜的措置として〔⑫　　　　　　　　〕が誕生

〉〉〉**平和維持軍(PKF)**
各国が提供する部隊によって編成される。強制措置を目的にするものではないので，その装備は軽火器にとどまり，武器の使用も要員の生命などの防護の場合に限られる。(→教p.241❶)

▶国連の活動と国際協力

【国連の主要機関】

- 〔⑬　　　　〕→
- 安全保障理事会(安保理)
- 経済社会理事会
- 事務局
- 国際司法裁判所　など

・加盟国が一国一票の投票権をもつ
・特定の国際問題に対処するため，その決議を通じて，
〔⑭　　　　　　　　〕(UNCTAD)
〔⑮　　　　　　　〕(UNDP)
〔⑯　　　　　　　〕(UNEP)
〔⑰　　　　　　　　　　〕(UNHCR)　などを設置

【国連改革】

- 〔⑱　　　　　　　〕…紛争，人権侵害，環境破壊など，人間の生存や尊厳を脅かす存在のない状態を確保する試みとして提唱された概念

正誤問題 次の文が正しい場合は○，誤っている場合は×を〔　〕に記入しなさい。

1．国際連合の安全保障理事会が強制措置をとる際には，常任理事国全部の同意を必要とする。〔　　〕

2．国際連合憲章は，軍事的制裁の手段として平和維持活動(PKO)を明示した。〔　　〕

Work 次にあげる役割や仕事は，国連のどの専門機関のものか，〈語群〉から選んで空欄に記入しなさい。

〔①　　　　　　〕	加盟国における深刻かつ組織的人権侵害に対処する。
〔②　　　　　　〕	発展途上国の経済開発を促進し，南北間格差を是正する。
〔③　　　　　　〕	世界の労働者の労働条件と生活水準の向上のため，各国の協力を促す。
〔④　　　　　　〕	国際金融および為替相場の安定をめざす。
〔⑤　　　　　　〕	健康を基本的人権として，その達成をめざす。

〈語群〉　国際労働機関　　国連貿易開発会議　　人権理事会　　国際通貨基金　　世界保健機関

Check! 資料読解 **1教科書p.238 1「勢力均衡，集団安全保障，集団的自衛権」 勢力均衡と集団的自衛権の類似点は何だろうか。勢力均衡にも集団的自衛権にも共通の内容を示した次の文章の空欄に，当てはまる語句を記入しなさい。**

共同防衛の約束を通じた〔　　　　〕を形成する。

2次にあげる文は，それぞれA勢力均衡，B集団安全保障，C集団的自衛権，D個別的自衛権のうちどれを説明したものか記号で答えなさい。

① 対立する諸国家間で軍備増強・同盟形成を通じて安全を確保しようとする政策。〔　　〕

② 自国が攻撃を受けていないにもかかわらず，同盟など密接な関係をもつ国が攻撃を受けた場合に共同して反撃する権利。〔　　〕

③ 対立する国々も含めた包括的な体制を築き，戦争を法によって禁じたうえで，違法な戦争をした国に対し，集団で制裁を加えることで，平和の維持・回復をはかる体制。〔　　〕

④ 他国からの急迫不正な侵害を受けたとき，自国を守るために必要な措置をとる権利。〔　　〕

3 冷戦終結後の国際政治

教科書　p.242～244

▶東西冷戦の構図

・〔①　　　　〕対立…アメリカを中心とする自由主義陣営と，ソ連を中心とする社会主義陣営との対立のこと

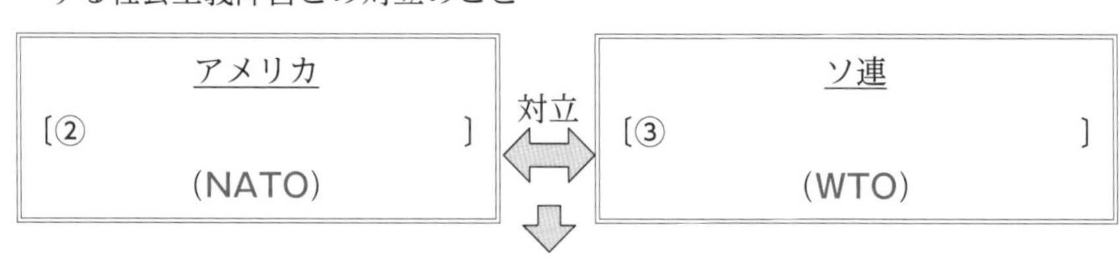

・アジアでは，〔④　　　　〕(1950～53年)，〔⑤　　　　〕(1965～75年)など国際化された内戦が勃発

▶第三世界の登場

・アジア・アフリカ諸国は，東西いずれの陣営とも距離を置く〔⑥　　　　〕路線をとった(第三世界)

1955年：インドネシアで〔⑦　　　　〕を開催

1960年：国連総会で採択された〔⑧　　　　〕により，植民地の人民の自決権(民族自決権)が承認された

▶平和共存と多極化

1950年代なかばには，ジュネーブ会談が実現するなど〔⑨　　　　〕が模索された

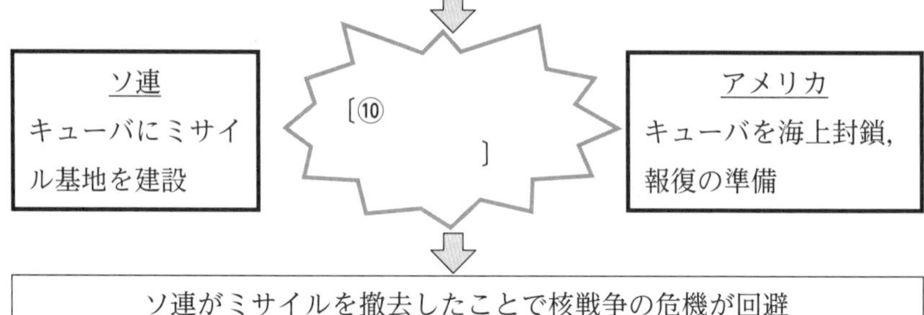

ソ連がミサイルを撤去したことで核戦争の危機が回避

緊張緩和(〔⑪　　　　〕)

・米ソの二極体制が揺らぎはじめ，〔⑫　　　　〕が進行
・東側では〔⑬　　　　〕(中ソ間の路線対立)が生じ，西側でもフランスがNATOの軍事部門から離脱

▶冷戦の終結と社会主義連邦の解体

1979年：ソ連のアフガニスタン侵攻により新冷戦が発生

1985年：ソ連はゴルバチョフ書記長のもと，情報公開や政治・経済の自由化を進める〔⑭　　　　〕と，外交の刷新が進む

1989年：米ソ首脳が〔⑮　　　　〕で冷戦の終結を宣言

1990年：東西ドイツが〔⑯　　　　〕

〉〉〉〔⑤〕
独立を宣言したベトナム民主共和国と旧宗主国のフランスとの間のインドシナ戦争を経て，ベトナムは南北に分断された(1954年のジュネーブ協定)。その後，南ベトナムの政権側を支持するアメリカと，反政権側を支持する北ベトナムとの間の本格的戦争は泥沼化した。アメリカの撤退後の1976年に，南北ベトナムは統一を達成した。(→教p.242❶)

〉〉〉人民の自決権
人民が自らの意思に基づいてその統治のあり方を決定する権利。植民地支配からの独立の法的根拠とされた。民族を自決の主体と主張するのが民族自決権の発想である。(→教p.242❷)

・冷戦終結後，冷戦構造で抑えられていた対立が表面化
→〔⑰　　　　　　　　〕の発生(ユーゴスラビア内戦など)

▶冷戦後の脅威への対応

2001年：国際的テロ組織アルカイダによる〔⑱　　　　　　　　〕が発生→アメリカはアフガニスタンに対し武力攻撃

2003年：アメリカは，大量破壊兵器の疑惑を根拠に〔⑲　　　　　　　　〕をおこす

〉〉〉〔⑲〕
事後にイラクが開戦時に大量破壊兵器を保有していなかったことが判明した。イギリスでは，〔⑲〕に至る政治判断の妥当性を事後検証するため，独立調査委員会が設置された。(→教p.244❶)

▶主導力なき世界

2011年：〔⑳　　　　　　　　〕を機にシリアで内戦が勃発

2014年：ロシアは，ウクライナからのクリミア独立を承認したうえで，クリミアをロシアに編入

2022年：ロシアがウクライナに軍事侵攻

※アジア：中国による台湾周辺での軍事演習，北朝鮮によるミサイル実験などで緊張が高まっている

正誤問題　次の文が正しい場合は○，誤っている場合は×を〔　〕に記入しなさい。

1．1989年，米ソ首脳はヤルタ会談で冷戦の終結を宣言した。〔　　〕
2．2001年にアメリカで同時多発テロが発生すると，ソ連はアフガニスタンに侵攻した。〔　　〕
3．シリアなどではイスラム過激派組織が勢力を増して，社会を不安定にしている。〔　　〕
4．2014年の住民投票で，クリミアのロシア編入が決議された。〔　　〕

Work　第二次世界大戦後の主な国際紛争について述べた文として正しいものには○を，間違っているものは下線部を正しい語句に書きかえなさい。

① 1989年12月には，米ソ首脳がヤルタ会談で冷戦の終結を宣言した。〔　　　　〕
② 独立を宣言したベトナム民主共和国と旧宗主国のフランスとの間のベトナム戦争を経て，ベトナムは南北に分断された(1954年のジュネーブ協定)。〔　　　　〕
③ 南北に分断されたベトナムは，南ベトナムを支持するフランスと，反政権を支持する北ベトナムとの間の本格的な戦争となった。〔　　　　〕

Check! 資料読解　教科書p.243❶「第二次世界大戦後の主な武力紛争」 冷戦終結後に紛争が多く発生している地域として，不適当なものを一つ選びなさい。

① 中東　② 旧ソ連　③ 南米　④ アフリカ

TRY!　壁によって平和を維持できるだろうか。1989年に解体されたベルリンの壁や，2002年に建設が開始された「分離壁」などを例に考えてみよう。

4 軍備競争と軍備縮小

教科書　p.245〜248

▶核軍拡競争と核抑止

・核軍拡競争…冷戦時における米ソの核戦力の配備拡大

背景
〔①　　　　　　　〕…反撃の威嚇によって，相手国に攻撃の自制を促す

・〔②　　　　　　　〕…相手の先制攻撃を自制させる

→拡大抑止政策（＝同盟国に〔③　　　　　　〕を広げる）

▶軍備管理と核軍縮への歩み

・1962年の〔④　　　　　　　　　〕を機に，核軍備抑制の気運が高まる

1963年	〔⑤　　　　　　　　　　　　　〕（PTBT）の締結 …地下を除く核実験の禁止
1968年	〔⑥　　　　　　　　　　　〕（NPT）の締結 …米ソ英仏中以外の国の核保有を防止
1987年	〔⑦　　　　　　　　　　〕の締結（米ソ間） …初の核兵器削減条約
1991年	〔⑧　　　　　　　　　　　　〕（START Ⅰ）の締結（米ソ間） …米ソが保有している戦略核戦力の削減
2002年	〔⑨　　　　　　　　　　　　　〕（モスクワ条約）の締結 （米ロ間）…戦略核戦力の削減
2010年	〔⑩　　　　　　　　　〕の調印（米ロ間） …戦略核戦力の制限

▶NPT体制の課題

・核拡散防止条約（NPT）体制…非核保有国が核兵器国になることを防止

→1995年に無期限延長を決定

・〔⑪　　　　　　　　　　　　　〕（CTBT）が国連総会で採択（1996年）

…爆発をともなう核実験を全面的に禁止→未発効

〉〉〉〔⑪〕
発効には，核保有国・保有疑惑国を含む44か国の批准が必要となる。（→教p.246❸）

課題
・イスラエル，インド，パキスタンがNPT体制不参加 ・2015年の核合意に基づき，イランによるウラン濃縮活動など自制の見返りに経済制裁が解除された →2018年，同合意の欠陥を理由にアメリカが制裁を再開，それにともないイランも濃縮活動再開 ・米ソ（ロ）二国間のINF全廃条約は2019年に失効

〉〉〉核拡散を防止する方策としては，兵器用核分裂性物質（高濃縮ウランとプルトニウム）の生産を禁止するカットオフ条約の締結も提起されているが，2021年現在，交渉は開始されていない。（→教p.247❶）

▶軍備なき平和をめざして

【生物兵器・化学兵器の禁止】

・〔⑫　　　　　　　　　　　〕（1975年発効）

・〔⑬　　　　　　　　　　　〕（1997年発効）

【通常兵器の禁止】

・〔⑭　　　　　　　　　　　　　　〕(1999年発効)

・〔⑮　　　　　　　　　　　　　　　〕(2010年発効)

【反核運動の広がり】

1954年	〔⑯　　　　　　　　　〕 …ビキニ環礁におけるアメリカの水爆実験で日本漁船が被爆
1955年	第1回〔⑰　　　　　　　　　　　〕の開催(広島)
1957年	〔⑱　　　　　　　　　　　〕の開催 …科学者たちによる核廃絶の提言
1980年代前半	ヨーロッパで米ソのINF撤廃を求め反核運動が起こる →世界各国に広がる
2017年	「〔⑲　　　　　　　　　　〕」が国連で採択

〉〉〉日本政府は，核保有国が参加しない〔⑲〕には署名していないが，同条約は2021年に発効した。(→教p.248❷)

正誤問題 次の文が正しい場合は○，誤っている場合は×を〔　〕に記入しなさい。

1．核拡散防止条約では，アメリカ，イギリス，フランス，ロシア，中国以外の国が核兵器をもつことを禁止している。〔　　　〕

2．包括的核実験禁止条約(CTBT)では，地下での核実験は認められている。〔　　　〕

Work **教科書p.249「軍縮を進めるためには何が必要だろうか」 安全保障のジレンマについて，次の文中の空欄にあてはまる語句を答えなさい。**

表を見ると，軍縮政策について，A国とB国の二国が互いに協調して軍備を削減した場合の安全度はそれぞれ，(**ア**　　　)点となっている。しかし，自国が削減しないと，削減した側は安全度が(**イ**　　　)点となり，削減しない側の安全度が(**ウ**　　　)点となると考える。結局，協調しないという選択肢をとると互いに(**エ**　　　)点となり，自国だけ協調する選択肢をとるよりも安全度は(**オ**　　　)なる。

Check! 資料読解 **教科書p.246❶「二国間および多国間の軍備管理・軍縮条約」 次の①～④のうちから，軍縮条約を一つ選びなさい。**

① 核拡散防止条約(NPT)　　② 宇宙条約

③ 戦略兵器削減条約(START Ⅰ)　　④ 包括的核実験禁止条約(CTBT)

Opinion **核兵器禁止条約の是非について，教科書p.248の二つの意見を参考に自分の意見を書きなさい。**

5 異なる人種・民族との共存

教科書　p.250〜253

>>> **エスニック集団**
血縁・言語・宗教・習慣・文化などを共有するという意識によって結びついている集団。(→教p.250❶)

>>> 〔⑩〕
国内社会において，あるいは国際社会において，異質な集団の存在を承認し，個々の人間集団に固有の言語・宗教・習慣・文化などを互いに尊重するという思想と行動。(→教p.251❷)

▶植民地支配と人種主義

・人種差別…人間の能力は人種によって異なるとする差別思想
　→国連総会で〔①　　　　　　　　〕が採択(1965年)
・アメリカ(黒人差別)
　1950年代〜：〔②　　　　　　　　〕が広がる
　1964年：公民権法が制定され，人種差別が禁止に
・南アフリカ共和国(白人による黒人支配)
　→〔③　　　　　　　　〕(人種隔離政策)が長年とられる
　　1991年：〔③〕が廃止される→1994年：全人種による選挙

▶ナショナリズム

・〔④　　　　　　　　〕…国家の構成員とエスニック集団は国民として一致するべきだとする政治的信条・運動

多数派		少数派
国家は単一の国民からなるべきであるとして，少数派に自らの文化を強要	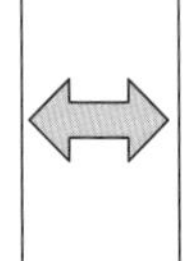	自らを国民とする国家をもつべきだとし，自治や分離独立を要求

国家の構成員と民族とが合致する〔⑤　　　　　　　　〕を建設しても，国境の再編や人口の移動において暴力をともなうことも

【第二次世界大戦後の人権保障】

1950年	〔⑥　　　　　　　　〕…国民の追放を禁止
1966年	〔⑦　　　　　　　　〕…種族的，宗教的，言語的少数者について，居住国における権利を保障

〔⑧　　　　　　　　〕(少数者集団)の権利保障の制度がととのえられ，排他的ナショナリズムや〔⑨　　　　　　　　〕が乗りこえられていった
→さまざまな文化や生活様式をもつ人々との共生をめざす「〔⑩　　　　　　　　〕」の立場が求められる

【難民問題】

・〔⑪　　　　〕…戦争，内戦，飢餓などを理由として国外へ逃れるほかなかった移住者
・国連は〔⑫　　　　　　　　〕の採択と〔⑬　　　　　　　　〕を設置
・近年は，内戦などにより，国内で避難生活を送る〔⑭　　　　　　　　〕の大量発生が課題に

▶国際刑事裁判所の常設化

1993年：旧ユーゴスラビア国際刑事裁判所の設置
…国連安保理が国際人道法に違反した個人を訴追

1998年：ローマ規程の採択…すべての国家は残虐行為(戦争犯罪，人道に対する犯罪など)を犯した個人を捜査・訴追する責務がある
→この規程によって〔⑮　　　　　　　〕(ICC)が設置
…国内裁判所の機能を補完し，捜査・訴追をおこなう

▶人道的干渉と保護する責任

・コソボ紛争…コソボにおける民族紛争において，NATO諸国が調停に入ったが，ユーゴスラビア連邦政府が交渉による解決を拒否
→NATO軍による必要最小限度の武力行使(〔⑯　　　　　　　〕)

国際社会において「〔⑰　　　　　　　〕」論が唱えられる

〉〉〉**人道に対する犯罪**
非戦闘員たる文民に対する非人道的行為(奴隷化や拷問・性的暴力など)。(→教p.252❷)

正誤問題 次の文が正しい場合は○，誤っている場合は×を〔　〕に記入しなさい。

1．1965年に人種差別撤廃条約が採択されたが，日本はいまだに批准していない。〔　　　〕

2．第二次世界大戦後に設置されたニュルンベルク国際軍事裁判所と極東軍事裁判所では，「平和に対する犯罪」や「人道に対する犯罪」は裁判の対象とならなかった。〔　　　〕

Check! 資料読解 教科書p.251❶「難民数の推移と地域別難民割合」 以下の問いに答えなさい。

問1　なぜ冷戦終結後に急増しているのか，次の文中の空欄に当てはまる語句を記入して，説明しなさい。

冷戦時には抑えられていた〔　　　　　　〕などが，冷戦後に各地で表面化したから。

問2　次の文のなかで正しいものをすべて選びなさい。

① 2022年の世界の難民と国内避難民などの地域別割合で一番多いのはアジア・大洋州である。
② 2022年の世界の難民と国内避難民などの地域別割合は，アフリカとアジア・大洋州で，6割をこえる。
③ 冷戦終結後から2005年までは，難民の数はおおむね減少している。
④ 2022年，国内避難民などの数は，難民の5倍以上になっている。〔　　　　　〕

Active 教科書p.253「自決権と領土保全原則」 次のX・Yは，コソボ，南オセチア，アブハジアの地域の独立について説明したものである。その正誤の組合せとして正しいものを，下の①～④のうちから一つ選びなさい。

X　NATO諸国は自決原則に基づくコソボのセルビアからの独立を承認したが，ロシアはセルビアの領土保全を根拠としてそれを承認しなかった。

Y　NATO諸国は自決原則に基づく南オセチアとアブハジアのジョージアからの独立を承認したが，ロシアはジョージアの領土保全を根拠としてそれを承認しなかった。

① X－正　Y－正　② X－正　Y－誤
③ X－誤　Y－正　④ X－誤　Y－誤

6 国際平和と日本

教科書　p.256〜257

▶外交の基調

【第二次世界大戦後の日本の外交】

1951年：〔①　　　　　　　　　　　　〕を締結して主権を回復

〔②　　　　　　　　　　〕を締結して西側陣営に加わる

1956年：〔③　　　　　　　　　〕によりソ連との国交が正常化

→日本の国連加盟が実現

1957年：日本政府が日本外交の三原則を発表

(1)　〔④　　　　　〕中心

(2)　自由主義諸国との協調

(3)　〔⑤　　　　　　〕の一員としての立場の堅持

》》**日本人拉致問題**
政府は，国連人権理事会に，北朝鮮の拉致問題や人権侵害を非難する決議案をEUと共同で提出する一方，2014年には，日朝政府間でストックホルム合意（北朝鮮は拉致被害者の再調査，日本側は独自の制裁措置の解除をそれぞれ約束）を結ぶなどした。（→教p.256❷）

【日本の戦後のアジア外交】

1950年代後半：ビルマ，フィリピン，インドネシア，南ベトナムと賠償協定を締結

1952年：日華平和条約の締結により，台湾の中華民国政府を中国の代表政府と認める

1965年：〔⑥　　　　　　　　　〕の調印により，大韓民国との国交が正常化

1972年：日中共同声明によって，中華人民共和国政府を中国の代表政府と認めて国交を正常化

1978年：〔⑦　　　　　　　　　　　〕を締結し，日中の平和関係を規定

1995年：日本政府は「植民地支配と侵略によって，多くの国々，とりわけアジア諸国の人々に対して多大の損害と苦痛を与えた」ことを謝罪

正誤問題　**次の文が正しい場合は○，誤っている場合は×を〔　〕に記入しなさい。**

1．日本は，1951年，サンフランシスコ平和条約を結んだことにより，国際連合への加盟を果たした。〔　　　〕

2．日朝平壌宣言により，日本と北朝鮮は国交を回復した。〔　　　〕

TRY!　**日本が国際社会で果たすべき役割とは何か，教科書p.257❷「国際社会での日本の役割」から選んで，話しあってみよう。**

（自分の意見）

（他の人の意見）

章末問題 第2編第5章 国際政治の動向と課題

教科書 p.230〜257

Check ✓ 重要用語

1. 国際社会と国際法

❶「国際法の父」とされる16世紀から17世紀にかけて活躍したオランダの法学者。『戦争と平和の法』をあらわす。 ❶

❷国際法のうち，国家間で合意したもの。 ❷

❸国際法のうち，国家間の慣行が法と認められたもの。 ❸

❹国連の常設司法機関。裁判には当事国の合意が必要となる。 ❹

❺日本と韓国の間でその領有権をめぐって対立している島。 ❺

2. 国際連合と国際協力

❻国際連盟が採用した，勢力均衡とは異なる平和維持のしくみ。 ❻

❼国連の安全保障理事会のうち，アメリカ・ロシア・イギリス・フランス・中国のこと。 ❼

❽紛争地域の治安維持や停戦監視，選挙の監視などを目的としておこなわれる活動。略称PKO。 ❽

3. 冷戦終結後の国際政治

❾人民が自らの意思に基づいてその統治のあり方を決定する権利。 ❾

❿1989年，米ソ首脳が冷戦の終結を宣言した会談。 ❿

⓫2001年，国際テロ組織アルカイダにハイジャックされた旅客機がニューヨークの高層ビルなどに激突した事件。 ⓫

⓬2010年末，チュニジア，エジプト，リビアなどアラブ地域で連鎖した反政府運動。 ⓬

4. 軍備競争から軍備縮小

⓭核兵器による報復という威嚇によって，相手の侵略行為を思いとどまらせようとする理論。 ⓭

⓮核兵器保有国を，それまでに保有していた米・ソ・英・仏・中の5か国以外に拡大させないことを目的とした条約(1968年調印)。 ⓮

⓯地下核実験を含む爆発のともなう核実験を禁じた条約(1996年採択，未発効)。 ⓯

⓰2017年に採択された，核兵器の使用，開発，実験，製造などを全面禁止した条約。 ⓰

5. 異なる人種・民族との共存

⓱人種差別に抗議し，白人と同等の権利の保障を要求した運動。 ⓱

⓲国内社会や国際社会において，異質な集団の存在を承認し，個々の人間集団に固有の言語・宗教・習慣・文化などを互いに尊重するという思想と行動。 ⓲

⓳難民問題に対応している国連の機関。難民に保護を与え，自主的な本国への帰還や第三国への定住を援助している。 ⓳

⓴1948年，ユダヤ人がイスラエルを建国したため，先住する民族が難民化し，その後，対立が続いている問題。 ⓴

6. 国際平和と日本の役割

㉑1951年に締結された条約で米軍の日本駐留を認めている。 ㉑

㉒日本とソ連の国交回復を実現した1956年に発表された宣言。 ㉒

㉓紛争，人権侵害，貧困，感染症，テロ，環境破壊などから人間の生存と尊厳を守るという考え方。 ㉓

演習問題

1 次の文章は国際的な紛争解決や犯罪処罰の機関に関する記述である。文章中の［ A ］～［ C ］に入る語句の組合せとして最も適当なものを下の①～⑧のうちから一つ選べ。

今日では，国際的な紛争は，武力ではなく平和的な方法で解決しなければならない。平和的な紛争解決手段には，外交交渉や裁判などがあり，その選択は，紛争当事国に任されている。常設の裁判機関には［ A ］があり，国家間の紛争を扱う。自由貿易を促進するための［ B ］や国際的な条約に基づく環境保護の制度においては，個別の紛争解決手続が整備されている。また，集団殺害犯罪や戦争犯罪など，［ C ］による国際犯罪を裁く機関として，国際刑事裁判所が設置されている。

① A－常設仲裁裁判所　B－国連貿易開発会議　C－個　人
② A－常設仲裁裁判所　B－国連貿易開発会議　C－国　家
③ A－常設仲裁裁判所　B－世界貿易機関　C－個　人
④ A－常設仲裁裁判所　B－世界貿易機関　C－国　家
⑤ A－国際司法裁判所　B－国連貿易開発会議　C－個　人
⑥ A－国際司法裁判所　B－国連貿易開発会議　C－国　家
⑦ A－国際司法裁判所　B－世界貿易機関　C－個　人
⑧ A－国際司法裁判所　B－世界貿易機関　C－国　家

〈2014年センター試験現代社会本試〉

2 人権の国際的保障に関する次の文章の［ A ］～［ C ］に入る語句の組合せとして最も適当なものを，下の①～⑥のうちから一つ選べ。

人権の国際的保障の本格的展開は，1945年の国連設立を契機としている。国連の設立条約である［ A ］では，人権尊重についての国際協力を達成することを，国連の目的の一つとして掲げている。

これまで国連は，人種差別撤廃条約，女子(女性)差別撤廃条約，児童(子ども)の権利条約，拷問禁止条約など，個別的に各種の条約を起草し，人権理念の実質化を試みている。その出発点に位置づけられるのが，1948年に採択された［ B ］である。［ B ］は，すべての国が達成すべき人権の共通の基準を示し，その理念が，［ C ］として条約化されたと考えられている。

① A－国際人権規約　B－国際連合憲章　C－世界人権宣言
② A－国際人権規約　B－世界人権宣言　C－国際連合憲章
③ A－国際連合憲章　B－国際人権規約　C－世界人権宣言
④ A－国際連合憲章　B－世界人権宣言　C－国際人権規約
⑤ A－世界人権宣言　B－国際人権規約　C－国際連合憲章
⑥ A－世界人権宣言　B－国際連合憲章　C－国際人権規約

〈2010年センター試験現代社会追試〉

3冷戦終結後の動向に関する記述として正しいものを，次の①～④のうちから一つ選べ。

① NATOとワルシャワ条約機構はいずれも解体し，それぞれの加盟国は一致して全欧安全保障協力機構(OSCE)を結成した。

② NATOとワルシャワ条約機構はいずれも存続しているが，その兵力は国連軍に編入され，国連の指揮下に置かれている。

③ NATOは存続し，加盟国数も増大する勢いを見せているのに対し，ワルシャワ条約機構は解体した。

④ NATOは解体したが，ワルシャワ条約機構は存続し，主として地域紛争への緊急対応にあたっている。

〈1999年センター試験現代社会本試〉

4国家間の協調的政策の実現について考えるために，次の表であらわされる国家間ゲームを考える。このゲームでは，A国とB国の二つの国家が，互いに相談できない状況で「協調的」もしくは「非協調的」のいずれか一方の政策を1回のみ同時に選択する。そして，各国は表中の該当するマスに示された点数をえる。ここで各国は自国の点数の最大化だけに関心をもつとする。このゲームの表から読みとれる内容として最も適当なものを，下の①～④のうちから一つ選べ。

		B国	
		協調的	非協調的
A国	協調的	A国に4点 B国に4点	A国に1点 B国に5点
	非協調的	A国に5点 B国に1点	A国に2点 B国に2点

① A国とB国がともに「協調的」政策を選ぶことがゲームの結果となるので，国家間の協調的政策が実現する。

② A国が「協調的」政策を，B国が「非協調的」政策を選ぶことがゲームの結果となるので，国家間の非協調的政策の実現には新たな仕組みが必要である。

③ A国が「非協調的」政策を，B国が「協調的」政策を選ぶことがゲームの結果となるので，国家間の協調的政策の実現には新たな仕組みが必要である。

④ A国とB国がともに「非協調的」政策を選ぶことがゲームの結果となるので，国家間の協調的政策の実現には新たな仕組みが必要である。

〈2011年センター試験政治・経済本試〉

5 内戦状態の国に国際社会は介入するべきかという問題について，次のア～エの主張はどのような考え方に基づいたものだろうか。それぞれについて最も適当なものを，下の①～④のうちから一つずつ選びなさい(同じ番号を何回用いてもよい)。

ア　内乱や残虐行為に対して，その国家が責任をもてなくなった状態となった場合には，人道的危機がより拡大してしまう。

イ　ある国の国内問題に他国が介入することで，より多くの犠牲者が出るかもしれない。

ウ　残虐行為を止めるために，その国に利害をもつ複数の大国が介入することで，内乱が代理戦争に発展するおそれが生じる。

エ　ある国への政治的，経済的およびその国固有の文化的要素に対する警告や威嚇の試みは，国際法に違反することになる。

① 「内政不干渉の原則」に基づく考え方により，国際社会の介入は許される。
② 「保護する責任」論に基づく考え方により，国際社会の介入は許される。
③ 「内政不干渉の原則」に基づく考え方により，国際社会の介入は許されない。
④ 「保護する責任」論に基づく考え方により，国際社会の介入は許されない。

ア	イ	ウ	エ

6 次の会話文を読み，以下の問いに答えなさい。

ケン：昨日パレスチナ紛争がニュースに出てきたのですが，どんな問題なのですか。少し調べてみたのですが，よくわかりません。詳しく教えてください。

先生：ニュースを見て調べてみるなんて感心だね。パレスチナ紛争はユダヤ教，(　①　)，イスラームの聖地(　②　)をめぐる宗教紛争の面もあるんだけれど，基本的には(a)民族と領土を結びつけるナショナリズムがもたらした領土紛争であるといえるね。

ミキ：第二次世界大戦後からこんにちに及ぶ紛争がなぜはじまったんですか？

先生：第一次世界大戦中，イギリスはオスマン・トルコとの対抗上，(b)アラブ人にはパレスチナの地に独立国家承認の約束を与える一方で，(c)ユダヤ人には同じパレスチナの地に「民族の郷土(ナショナル・ホームランド)」建設への支持を与えたんだ。とくに後者は，第一次世界大戦後，国際連盟の委任を受けてイギリスがパレスチナを統治するに当たって確認されたものなんだ。1947年には国連総会において，パレスチナをアラブ人地域とユダヤ人地域に分割する決議が採択されたんだ。1948年には(　③　)の建国によって，そこに帰還できるユダヤ人と，帰還できないパレスチナ人が生まれたため，このすみ分けの現状をめぐって関係諸国の間に対立が生じた。

ケン：帰還できないパレスチナ人は，(d)難民となってしまったんですね。

問1　文中の空欄①～③に適する語句を，以下のア～クより選び，記号で答えなさい。

ア．仏教　イ．キリスト教　ウ．ヒンズー教　エ．エルサレム　オ．イスラエル
カ．シリア　キ．レバノン　ク．ガザ

問2　下線部(a)に関連して，以下の問いに答えなさい。

(1) こんにち日本が直面する領土問題のうち，中国との間で問題になっている地域はどこか。
(2) こんにち日本が直面する領土問題のうち，韓国との間で問題になっている地域はどこか。
(3) ロシアとの間で問題となっている地域に属する島の名前をすべて答えなさい。

問3　下線部(b)の約束，下線部(c)の支持はそれぞれ何と呼ばれるか，以下のア～オより一つずつ選び，記号で答えなさい。

ア．バルフォア宣言　　イ．ブレトンウッズ協定　　ウ．スミソニアン協定

エ．マクマホン書簡　　オ．プラザ合意

問4　下線部(d)について，教科書p.231の地図を見て以下の問いに答えなさい。

(1)　シリア難民の主な移動先として適切ではない国を以下のア～エより一つ選び，記号で答えなさい。

ア　ドイツ　　イ　エジプト　　ウ　イラク　　エ　日本

(2)　シリア，アフガニスタン，イラクの３国すべてから難民を受け入れている国はどこか答えなさい。

(3)　次の文の空欄①・②に当てはまる適切な語句を記入しなさい。

多くの難民は，生命と尊厳を守るものがいない状態にある。この状況をどうすれば回避できるだろうか。これには二つの考え方がある。一つの考え方は，難民を含む人々を国民とし，その居住領域を領土とする国家が，政府の政策を通じて国民の安全を確保するという(　①　)の発想である。もう一つの考え方がある。難民を保護する意思や能力をもった国家が存在しない場合にも，その生存や尊厳を確保するという(　②　)の発想である。

(4)　シリア紛争による難民流入によって，ヨーロッパ諸国にどのような課題が生じたのか調べてみよう。

<table>
<tr><td>問1</td><td>①</td><td>②</td><td>③</td><td>問2</td><td>(1)</td><td>(2)</td></tr>
<tr><td colspan="7">(3)</td></tr>
<tr><td>問3</td><td>(b)</td><td>(c)</td><td>問4</td><td>(1)</td><td colspan="2">(2)</td></tr>
<tr><td>(3)</td><td>①</td><td></td><td>②</td><td colspan="3"></td></tr>
<tr><td>(4)</td><td colspan="6"></td></tr>
</table>

1　国際経済のしくみ

教科書　p.260～264

▶自由貿易と保護貿易

【貿易がおこなわれる理由】

・〔①　　　　　　　　〕の利益…各国が，国内で相対的により安く生産できる財・サービスに〔②　　　　　〕してそれを貿易しあえば効率がよい

イギリスの経済学者リカードは，各国が比較優位な産業に〔②〕して貿易する〔③　　　　　　　　　　〕を唱え，〔④　　　　　　　〕を主張

ドイツの経済学者リストは，途上国の工業化をはかるため，先進国からの競合製品を関税などにより輸入制限し，自国産業を保護・育成する〔⑤　　　　　　　〕を唱えた

〉〉〉**関税**
輸入品にかけられる税であり，輸入制限の効果をもつ。（→教p.260❷）

【多国籍企業と国際分業】

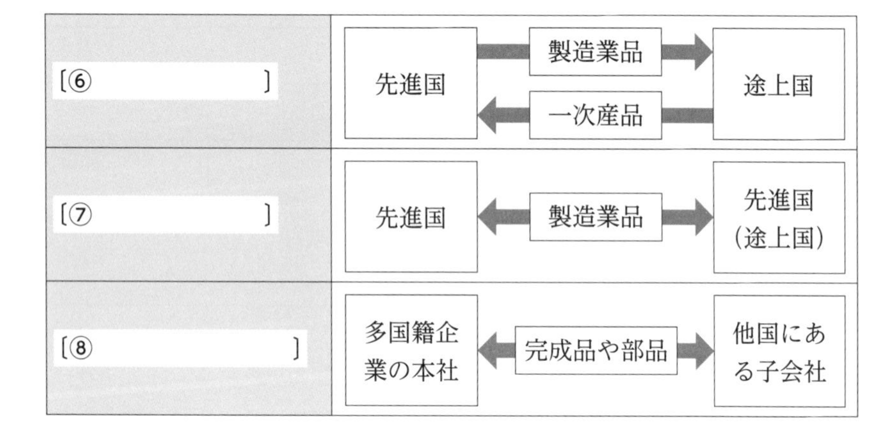

▶国際収支

・〔⑨　　　　　　　　〕…一定期間におこなわれた一国の国際的な経済取引を貨幣額であらわしたもの

【国際収支の主な項目】

・〔⑩　　　　　　　　〕…財・サービスなどの取引の収支

貨幣を受け取る場合→プラス
外国へ支払う場合　→マイナス

・〔⑪　　　　　　　　〕…金融資産・負債の取引の収支

対外資産と対外負債が増加→プラス
　　　　　　　　　　減少→マイナス

〉〉〉**日本の国際収支における最近の傾向**
日本企業の海外活動の増加により，近年は第一次所得収支の黒字が貿易収支の黒字を上回るようになっている。

▶外国為替と外国為替市場

貿易をおこなう場合，自国通貨を外貨に交換する必要がある

↓

・〔⑫　　　　　　〕(為替レート)

…自国通貨と外国通貨との交換比率

→通貨の交換をおこなう場＝〔⑬　　　　　　〕

↑

〔⑭　　　　　　〕…ドルや円などの主要通貨の為替相場は，需要と供給の関係により決められる

→他国通貨に対して円の価値が上がる：〔⑮　　　　〕

下がる：〔⑯　　　　〕

〉〉〉**為替**
遠隔地間で債権と債務を決済するしくみ。国内遠隔地間向けの内国為替もある。(→教p.264❶)

正誤問題　次の文が正しい場合は○，誤っている場合は×を〔　〕に記入しなさい。

1．リカードは比較生産費説で，各国が生産費の点で相対的に優位な財の生産に特化して，貿易しあうほうが，多くの財を生産できることを明らかにした。〔　　〕

2．先進国と発展途上国が互いに工業製品を輸出しあう貿易を垂直貿易という。〔　　〕

3．経常収支には，貿易収支，サービス収支，第一次所得収支，第二次所得収支，直接投資が含まれる。〔　　〕

Work　次のものは，国際収支のどの項目に入るか答えなさい。

① 日本の自動車会社が輸出によって得る代金

② 日本の銀行が保有する米国債から得る利子

③ 日本人が配当目的で米国企業の株を購入する代金

①	②	③

TRY!　教科書p.261，262の記述を参考に，以下の問いに答えなさい。

先生：今日は，〔ア　　　　　　〕の比較生産費説について学んでいこう。教科書p.261の「特化前と特化後の比較」の表を見てみよう。何か気づいたことはないかな。

ミキ：同じ人数でラシャとぶどう酒の生産量が増えてますね。

ケン：ほんとだ。ラシャは〔イ　　　　〕単位，ブドウ酒は〔ウ　　　　〕単位増えているよ。

先生：このように〔エ　　　　　　〕のあるものの生産に各国が特化して，その後貿易で交換すれば，みんながより豊かになれるということなんだ。〔ア〕は，「自由貿易は当事国双方に利益をもたらす」と主張したんだよ。

ケン：でも自由貿易はメリットだけなのかな。デメリットはないんですか。

先生：もちろんデメリットもあるよ。一つは［　　　］。もう一つは産業構造の固定化だね。このような問題に対して，ドイツの経済学者〔オ　　　　　　〕は保護貿易の必要性を主張したんだ。

問1　上の文章の〔ア〕～〔オ〕に当てはまる語句を記入しなさい。

問2　［　　　］に入る自由貿易のデメリットを考えなさい。

2 国際経済体制の変化①

教科書　p.266～267

▶大不況と第二次世界大戦

1930年代：世界的な大不況の発生

→資本主義列強は閉鎖的な〔①　　　　　　　〕化を進めた

→各ブロック内で資源が不足，販売市場も限られる

→植民地をめぐる争いが起き，第二次世界大戦へ突入

▶IMF・GATT体制

・自由貿易を基本とした国際経済秩序がめざされる

→〔②　　　　　　　　　　　〕(1944年)

↓

・〔③　　　　　〕(国際通貨基金)

設立：1944年

目的：通貨の安定をめざし短期融資をおこなう

・〔④　　　　　　　　　　〕(IBRD，世界銀行)

設立：1944年

目的：戦後復興と開発のため長期融資をおこなう

・GATT(関税と貿易に関する一般協定)

設立：1948年

目的：自由貿易の枠組みを定め世界貿易の拡大をはかる

総称して〔⑤　　　　　　　　　〕

【IMFが採用した二つの制度】

(1)金1オンス＝35ドルと定められた米ドルを世界の〔⑥　　　　　　　〕とする

(2)〔⑦　　　　　　　　　　〕…ドルと各国通貨間の交換比率の変動を上下1%以内に抑える

【GATTの3原則】

(1)自由　　(2)〔⑧　　　　　　〕

(3)多角主義

→〔⑨　　　　　　　　　　　　〕によって関税引き下げをめざす

※緊急輸入制限をおこなう〔⑩　　　　　　　　〕などの例外措置も多かった

〉〉〉**最恵国待遇**
通商条約などを結んだ国どうしが，関税や事業活動について，それぞれ第三国に与えた待遇よりも不利にならない待遇を与えあうこと。(→教p.267❷)

▶IMF体制の動揺

1960年代：アメリカの国際収支の悪化　→ドル価値に対する信頼が低下

↑

背景
対外経済援助や軍事支出の膨張，資本輸出の増加

各国はドルを金に交換するよう要求→アメリカから金が流出

1971年8月	〔⑪　　　　　　　　〕 …アメリカが金・ドル交換停止を発表
1971年12月	〔⑫　　　　　　　　〕 …金価格に対するドルの切り下げ，各国通貨(円など)の対ドル切り上げ
1973年	主要各国が〔⑬　　　　　　　　〕へ移行
1976年	金にかわって〔⑭　　　　　〕(特別引き出し権)の役割を拡大 ＝〔⑮　　　　　　　　〕

〉〉〉〔⑭〕
国際収支が赤字で国際決済に使用する外貨不足に陥った場合，黒字国から外貨を引き出す権利。ドル，ユーロ，ポンド，円に加え，人民元も2016年から構成通貨となった。(→教p.267❹)

正誤問題 次の文が正しい場合は○，誤っている場合は×を〔　〕に記入しなさい。

1．ブレトンウッズ協定では，固定為替相場制が採用された。〔　　　〕
2．1970年代のはじめに，アメリカは金とドルとの交換を停止した。〔　　　〕
3．スミソニアン協定では，変動為替相場制への移行が合意された。〔　　　〕

Work IMFに関する記述として最も適当なものを，次の①～④のうちから一つ選べ。

① IMFは，第二次世界大戦後の国際経済体制の柱の一つだが，第二次世界大戦が終結する以前にアメリカが主導したブレトンウッズ会議でその設立が合意された。
② IMFは，固定為替制度の維持を主要な目的の一つとしていたが，ニクソン大統領による金・ドル交換停止を経て主要先進国が変動相場制へ移行したので廃止された。
③ IMFは，開発途上国への経済支援も行っており，IBRD(国際復興開発銀行・世界銀行)はIMFの下部機関として，開発途上国に対する融資を専門的に行ってきた。
④ IMFは，90年代後半のいわゆる「アジア通貨危機」の際には直接関与せず，代わって日本が危機に陥った国々に二国間援助を大幅に拡大して経済的支援を行った。

(2003年センター試験現代社会本試)

□

Check! 資料読解 教科書p.267❶「円相場の推移」とp.264❷「日本の経常収支の推移」から読み取れる内容として最も適当なものを，次の①～④のうちから一つ選びなさい。

① 1971年のニクソン・ショック後，円高傾向が続いたが，こうした動きは経常収支の黒字に対応している。
② 1973年に主要各国が変動為替相場制へ移行後，円相場は円安基調で動いており，こうした動きは経常収支の黒字に対応している。
③ 1976年のキングストン合意後，急速な円安が進んだことによって，貿易赤字が増加し，経常収支の赤字が恒常化した。
④ 1985年のプラザ合意後，急速な円高が進んだことによって，貿易赤字が増加し，経常収支の赤字が恒常化した。

□

2 国際経済体制の変化②

教科書　p.268〜271

▶南北問題

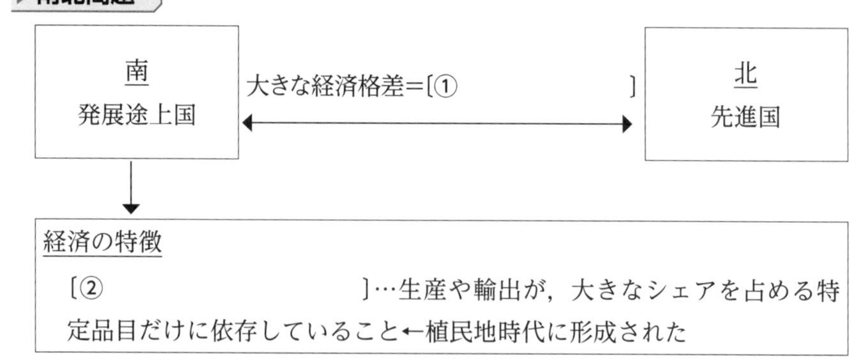

1961年：国連総会で「国連開発の10年」が採択

1964年：〔③　　　　　　　〕(国連貿易開発会議)が設立

〔④　　　　　　　〕←第1回総会で提出

…先進国に対し発展途上国は交易条件が不利化してしまう傾向を指摘

→先進国が発展途上国からの輸入品に対し関税面で一方的に優遇する〔⑤　　　　　　　〕，価格安定化のための国際商品協定を実施

▶資源ナショナリズムと南南問題

【資源ナショナリズムの高揚】

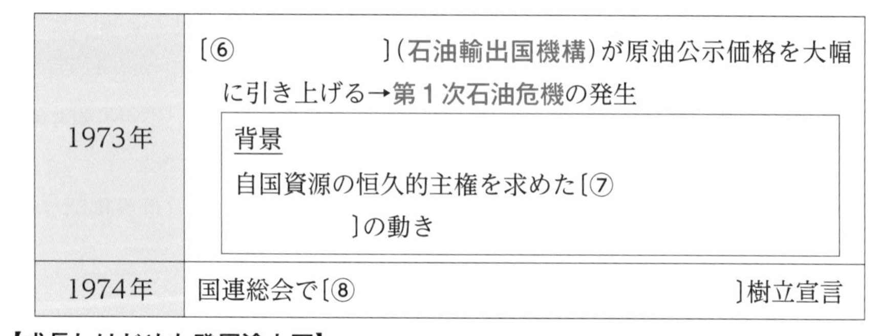

1973年	〔⑥　　　　　〕(石油輸出国機構)が原油公示価格を大幅に引き上げる→第1次石油危機の発生 背景 自国資源の恒久的主権を求めた〔⑦　　　　　〕の動き
1974年	国連総会で〔⑧　　　　　　　〕樹立宣言

〉〉〉〔⑧〕
天然資源に対する保有国の恒久主権，多国籍企業に対する規制や監視，一次産品の国際価格の安定化などの実現を要求した。(→教p.269❶)

【成長しはじめた発展途上国】

1970年代〜：工業製品の輸出によって成長する発展途上国の出現

＝〔⑨　　　　　〕(新興工業経済地域)

・東アジアNIEs…韓国，台湾，香港，シンガポールなど

→〔⑩　　　　　　　〕に転換

〉〉〉〔⑩〕
外資導入による輸出振興，自国通貨の価値を低めに誘導することによって輸出拡大を狙う。(→教p.269❷)

【累積債務問題】

・中南米諸国では〔⑪　　　　　　〕(債務不履行)の危機

原因
・世界的な高金利による利子負担の増大
・一次産品価格の低迷による輸出の停滞　など

1980年代：〔⑫　　　　　　　〕が表面化

→IMFはコンディショナリティを設定，〔⑬　　　　　　　〕(債務繰り延べ)がおこなわれる

→世界銀行も構造調整融資を提供

1990年代：アフリカなどの〔⑭　　　　　　　　　　　　〕もデフォルトの危機に陥る→重債務貧困国における債務削減が課題に

NIEsとLDCといった途上国間の新たな格差＝〔⑮　　　　　　　　〕

▶レーガノミクスと国際政策協調

1975年：石油危機による経済対策を協議するため，〔⑯　　　　　　　　〕が開催される

1980年～	アメリカにおいて，貿易収支赤字と財政赤字の「〔⑰　　　　　　〕」発生
1985年	G5が開かれ，〔⑱　　　　　　　　〕成立 →ドル高を是正してアメリカの貿易赤字を縮小

▶GATT体制とWTO体制

・GATTの〔⑲　　　　　　　　　〕(1986年～)…農業分野や知的財産権など新たな課題が取り上げられる
→GATTにかわり〔⑳　　　　　　　　　　〕設立(1995年)
・WTOの〔㉑　　　　　　　　　　　　　〕(2001年～)…南北間の対立などで2008年以降交渉が行き詰まる

〉〉〉〔⑯〕
パリ郊外のランブイエで開催され，アメリカ，イギリス，フランス，西ドイツ，イタリア，日本の6か国が参加した。翌年からカナダが参加し，各国が議長国を持ち回りで年1回開催される。1998年から2013年まではロシアも加えたG8サミットとしておこなわれた。(→教p.270❶)

〉〉〉G5・G7
先進5か国財務相・中央銀行総裁会議。アメリカ，ドイツ，イギリス，フランス，日本の5か国。これにイタリアとカナダが加わるとG7になる。(→教p.270❷)

Check! 資料読解 **教科書p.269❺「対外債務残高の多い途上国」 債務残高が高い国でも対GNI比は低いのはなぜか。p.281❻「BRICSの経済成長率の推移」から考えて，その理由を説明した次の文章の空欄に当てはまる語句を記入しなさい。なお，ア～エの解答の順序は問わない。**

債務残高が大きい〔ア　　　　　〕，〔イ　　　　　〕，〔ウ　　　　　〕，〔エ　　　　　〕は，いずれも〔オ　　　　　〕年代に高い経済成長を実現し，ＧＮＩ(国民総所得)が大幅に増加した。そのため債務残高の対ＧＮＩ比は大幅に縮小した。

Exercise **貿易に関する次のア・イの意見は，指摘・主張はどのような考え方に基づいたものだろうか。それぞれについて最も適当なものを，下の①，②のうちから一つずつ選びなさい。**

ア　先進国・発展途上国のいずれも，比較優位にある財やサービスを輸出すれば，世界全体での生産量は増えるため，双方に利益がある。したがって，関税を引き下げたり，自国産業を保護する非関税障壁を撤廃したりするなど，原則としてあらゆる市場開放を促進すべきである。

イ　何の例外措置もないまま国内市場を開放すれば，将来の成長が見込める先端産業は，すべて先進国が独占してしまい，先進国と発展途上国の間に経済格差が生じるだろう。したがって，途上国が輸出する品目への特別待遇制度を設けたり，途上国の原料や製品を適正な価格で継続購入したりするフェアトレードを促進したりすべきである。

①「機会の平等」を重視する考え方　　　②「結果の平等」を重視する考え方

ア	イ

3 経済のグローバル化と金融危機

教科書　p.272～274

〉〉〉**デリバティブ**
あらかじめ定めた価格で売買する権利(オプション)など，価格変動などによる損失を避ける(ヘッジする)ための，取引や金融商品。(→教p.272❸)

〉〉〉〔③〕
規制がなく税率がきわめて低いことを呼び水として，金融機関や企業を誘致する国や地域である。その例として，カリブ海や地中海などの小国がある。(→教p.273❶)

〉〉〉〔⑦〕
低所得者層など信用力(返済能力)の低い人を対象とした住宅ローン。高金利のローンだが，当初数年間の返済は低く抑えられ，借り手はこの間に値上がりした住宅を担保に，より低金利のローンに借りかえることで返済が可能であるとして販売された。(→教p.273❷)

▶グローバル化する経済

・グローバル化により，ヒト，モノ，カネ，情報が地球規模で急速に移動

1980年代～：金融活動の〔①　　　　　　　〕
→国境をこえた資本取引，地球規模での金融機関の活動

・国際金融市場の成長
→デリバティブの取引が近年急成長

▶国際金融市場と通貨危機

・〔②　　　　　　　　　〕…巨額資金を集めて通貨，株式，商品などに投資し，利益を分配するある種の投資信託

※〔②〕は本拠地を〔③　　　　　　　　　　〕に置くことが多い
→〔②〕は1990年代以降，新興国市場で多くの資金を運用

・国内の金融市場が未整備な〔④　　　　　　〕に資金が急激に流入すると，バブル経済が発生しやすい
→成長の鈍化や通貨の切り下げといった予想が支配的に
→流入資金の一斉引き上げ
→〔⑤　　　　　　　〕＝急激な通貨価値の下落
※1997年の〔⑥　　　　　　　　　　〕がその典型例

▶サブプライム危機とリーマン・ショック

【危機の発生】

・金融緩和政策による住宅ローン金利の大幅な低下
→住宅投資が増加し，住宅価格が上昇を続ける
→住宅価格が下落に転じると(2006年)，〔⑦　　　　　　〕を組み込んだ債券価格が低下
→世界の機関投資家などに大きな損失が生じる

・〔⑧　　　　　　　　　　　　〕の発生(2008年)
…リーマン・ブラザーズが倒産し，政府の支援を仰ぐ金融機関が続出
→世界的な金融・経済危機に発展

【危機の再発防止】

2010年：金融規制改革法の成立(アメリカ)…金融自由化の流れを抑え，高リスクの投資を制限

▶世界経済の安定をめざして

・国際的な資本取引に課税するしくみが構想されている
・タックス・ヘイブンの規制も課題に

・リーマン・ショック後の〔⑨　　　　　〕
　→金融規制について，財政赤字の削減，経常収支の不均衡の是正，通貨安競争の回避などが課題
・新しい仮想通貨(暗号資産)←グローバル企業が構想
　…世界中の人々が資本へのアクセスを容易にする可能性があるが，犯罪組織による悪用や不正アクセスなどの問題も
　　→各国政府は，民間企業による発行を抑制，法定通貨に裏づけられたデジタル通貨の開発を進める

〉〉〉〔⑨〕
2008年に金融危機への対策を協議する首脳会議(「金融サミット」)が開催され，これを機に，国際経済問題を討議する中心的な会合としてG20が定例開催されるようになった。G20には，中国，インドやブラジルなど11の新興国を加えた19か国と地域(EU)が参加している。(→教p.274❷)

正誤問題　次の文が正しい場合は○，誤っている場合は×を〔　〕に記入しなさい。

1．1997年に生じたアジア通貨危機の原因はIMF(国際通貨基金)による過剰な投資にあったとされる。　〔　　　〕

2．2008年の世界的な金融危機を機に，国際経済問題を討議する中心的な会合としてG20が定期開催されるようになった。　〔　　　〕

Check! 資料読解　教科書p.273❷「世界の経常収支不均衡」　グラフから読み取れる内容として正しいものを，次の①～⑤のうちからすべて選びなさい。

①　中国の経常収支黒字額は日本を下回ったことはない。
②　アメリカの経常収支は2000年から大幅なマイナスが続いている。
③　2000年から2021年までの間，経常収支の黒字が続いている国や地域は日本と中国だけである。
④　中国を除くBRICSの国々は，経常収支がマイナスになったことはない。
⑤　2000年から2021年までの間でＥＵの経常収支の赤字が一番大きくなったのは，2008年である。

〔　　　　　〕

Opinion　1 金融規制の是非について，次のア～ウの指摘・主張はどのような考え方に基づいたものだろうか。それぞれについて最も適当なものを，下の①，②のうちから一つずつ選びなさい(同じ番号を何回用いてもよい)。

ア　余裕のある資金がどの国・地域にも投資できることは，世界経済全体を活性化させ，人々の所得を向上させている。

イ　国際的な資本取引に低率で課税するトービン税の導入を検討することで，国際的な資本取引の安定性をはかることができる。

ウ　利潤追求を目的とする金融機関による投機的な資金移動は世界経済を不安定化させ，貧富の格差も拡大させる。

エ　民間のグローバル企業によるデジタル通貨(仮想通貨)の導入によって，人々が資本に対していま以上に容易にアクセスできるようになる。

①金融規制は撤廃すべきである。　　②金融規制は必要である。

ア	イ	ウ	エ

2　1の主張なども踏まえて，国際的な資本取引に対する金融規制の是非について話しあってみよう。

4　地域経済統合と新興国①

教科書　p.276〜279

▶地域経済統合

【貿易自由化の協定】

・〔①　　　　〕(自由貿易協定)…特定の地域や国家間で主に物品やサービスの貿易自由化を実現しようとして結ばれる協定

・〔②　　　　〕(経済連携協定)…〔①〕に加えて，投資や人の移動をも含んだ連携をめざす協定

【世界の地域経済統合】

・〔③　　　　〕(北米自由貿易協定)(1994年発足)…アメリカ，カナダ，メキシコによる地域経済統合

・〔④　　　　〕(南米南部共同市場)(1995年発足)…ブラジル，アルゼンチンなど南米6か国による地域経済統合

・〔⑤　　　　〕(アジア太平洋経済協力)(1989年発足)…アジア太平洋地域で21の国・地域が参加する地域協力組織

・〔⑥　　　　〕(ASEAN経済共同体)(2015年発足)…1967年に設立されたASEAN(東南アジア諸国連合)加盟国による地域経済統合

・〔⑦　　　　〕(環太平洋パートナーシップ協定)…シンガポール，チリなど4か国ではじまった経済連携協定で，のち日本も加わり(アメリカは離脱)，CPTPP(TPP11)として2018年に発効→投資や政府調達，環境，労働など広い範囲で自由化に向けたルール作りが進められる

【組みかえられる地域経済統合】

・アメリカは二国間交渉を重視して〔③〕を見直し，カナダ，メキシコと再交渉して2018年に〔⑧　　　　〕(アメリカ・メキシコ・カナダ協定)を締結

・アメリカは日本とも二国間の貿易交渉を進め，日米貿易協定に合意(2019年)

【メガFTA】

・煩雑な手続きが必要なFTA/EPAをたばね，対象国を拡大するメガFTAと呼ばれる協定が必要に→RCEP(地域的な包括的経済連携)もその一つ

〉〉〉RCEP
ASEAN10か国と，日本，中国，韓国，オーストラリア，ニュージーランドの間で署名された。(→教p.277❶)

▶EUの歩み

1952年	ECSC(欧州石炭鉄鋼共同体)…独仏国境付近の重要資源を6か国で共同管理しようとして結成
1958年	1957年のローマ条約によってEEC(欧州経済共同体)が発足
1967年	ECSC，EEC，EURATOM(欧州原子力共同体)が統合され，〔⑨　　　　〕が発足
1993年	〔⑩　　　　〕が発効して〔⑪　　　　〕が発足
1998年	欧州中央銀行(ECB)が設立される
1999年	〔⑫　　　　〕が導入され，2002年に流通開始に

〉〉〉〔⑫〕
スウェーデン，デンマークなどは通貨統合への全面参加を見送り，独自通貨を維持している。(→教p.278❶)

▶EUの課題

・〔⑬　　　　　　　　　　〕(2010年)…ユーロ加盟条件にあうよう財政赤字削減の操作をおこなう→ユーロの信認が揺らぐ

・2011年以降，財政赤字と債務不履行がスペイン，ポルトガル，イタリアなどに波及

・加盟国拡大による域内格差

西欧・北欧諸国	南欧諸国	中・東欧諸国
南欧諸国への製品輸出が好調，経常収支が黒字	経常収支の赤字が続き，製造業が停滞	低所得国が多く，多くの労働者が西欧・北欧諸国へ→摩擦

・〔⑭　　　　　　　　〕は2016年の国民投票でEU離脱を決定→2020年に離脱

Work **1欧州連合(EU)に関する記述として適当でないものを，次の①～④のうちから一つ選べ。**

① マーストリヒト条約によって，欧州共同体(EC)が設立された。

② 欧州共同体設立のもととなった機関に，欧州経済共同体(EEC)が含まれる。

③ 欧州連合(EU)のさらなる統合促進や機構改革などを目的とするリスボン条約が，発効した。

④ 欧州連合の現在の加盟国には，東欧の旧社会主義国の一部が含まれている。

(2015年センター試験現代社会本試)

2地域経済統合に関する記述として適当でないものを，次の①～④のうちから一つ選べ。

① 欧州共同体(EC)は域内関税の撤廃などを目的として，欧州石炭鉄鋼共同体(ECSC)・欧州経済共同体(EEC)・欧州自由貿易連合(EFTA)の統合により結成された。

② 北米自由貿易協定(NAFTA)は，アメリカ・カナダ・メキシコの間で，域内の貿易や投資を促進することを目的として結成された。

③ 南米南部共同市場(MERCOSUR)は，アルゼンチンなど南米地域の国々によって，域内関税の撤廃などを目的として結成された。

④ アジア太平洋経済協力会議(APEC)は，日本やアメリカ，カナダ，オーストラリアなどが参加して，アジア太平洋地域における経済協力の強化などを目的として結成された。

(2014年センター試験現代社会追試)

Check! 資料読解 **教科書p.277 1「地域経済統合」 読み取れる内容として最も適当なものを，次の①～④のうちから一つ選びなさい。**

① 四つの地域経済統合のうち，人口が最も多いのはAECであるが，名目GDPの額が最も大きいのはEUである。

② 四つの地域経済統合のうち，人口に対する名目GDPの額が最も大きいのはUSMCAである。

③ 日本よりもMERCOSURのほうが人口が多く，名目GDPの額も大きい。

④ USMCAの名目GDPは，EU・AEC・MERCOSURの名目GDPを足した額より小さい。

4　地域経済統合と新興国②　教科書　p.280～282

▶中国経済の動向と課題

【中国経済の成長要因と近年の動向】

1978年：〔①　　　　　　　　　　〕…〔②　　　　　　　　〕を中心に外国資本を導入，雇用を増やして技術導入をはかる

→中国は高い経済成長を達成し「〔③　　　　　　　　　〕」としての役割を担うように

→また13億の人口と中産階級の急増により「〔④　　　　　　　　　〕」としての期待も高まる

2013年：新シルクロード構想（「一帯一路構想」）が打ち出される…アフリカやアジアの国々のインフラ整備をおこなう

→金融面から支えるシルクロード基金や〔⑤　　　　　　　　　　　　　　〕（AIIB）が発足，「〔⑥　　　　　　〕の国際化」がめざされた

〉〉〉〔⑤〕
2013年10月に提唱され，15年に57か国により設立，16年に開業した。バングラデシュの送電線設備投資への融資が最初の案件となった。（→教p.280❶）

【中国の課題】

・富裕層と貧困層との所得格差がきわめて大きい
・都市部の大気汚染，資源の大量消費
・急速な少子化による将来の労働力不足
・成長率が低下して失業率が高まると政治的不安が表面化

【中国の近年の政治】

・1997年に中国へ返還された香港に対して〔⑦　　　　　　　　〕を採用
…返還後50年間は経済的・法的な制度の現状を維持し，将来的な平和統一につなげる

→2020年，香港国家安全維持法施行。一体化への圧力が強まる

〉〉〉**香港国家安全維持法**
「国家分裂」「政権転覆」「テロ活動」「外国勢力との結託」を，国家安全に危害を加える犯罪と規定した。これにより，中国政府の香港に対する関与が大幅に強まり，香港に高度な自治を認める〔⑦〕は形骸化したと世界から批判されている。

▶新興国の台頭

【存在感を高める新興国】

【ブラジル】

・国内の資源が豊富で，鉄鉱石や原油の輸出額が大きい
・2016年のオリンピック開催を機にインフラ整備や国内市場拡大が進む
・地域間格差，都市〔⑨　　　　　　〕の拡大，アマゾンの熱帯雨林消失などが課題

【ロシア】

・〔⑩　　　　　　　　〕などの資源輸出が経済発展の基本戦略
→経済成長が資源価格の動向に左右される

【インド】
・2014年以降，改革路線をとり，経済成長は堅調

【南アフリカ】
・1994年のアパルトヘイト撤廃以後，金・ダイヤモンド・〔⑪　　　　　　　〕などの輸出で成長
・黒人の約8割は貧困・低所得状態，高い失業率，インフラ整備の遅れ

▶国際経済の新たな対立

【中国の進める構造改革】
・電気自動車など新世代の産業，5Gを中心とする通信機器産業，ソフトウェア産業の発展を促進
・電子商取引などで得られた膨大な取引データを経済成長に生かす

【新たな対立】
・新興国の動向がアメリカなどの先進国と新たな対立を引き起こす
→米中は関税障壁や非関税障壁を互いに設ける
・ウクライナへの軍事侵攻によるロシアとアメリカやEU諸国などとの対立
→エネルギーや食料の価格高騰

正誤問題 次の文が正しい場合は○，誤っている場合は×を〔　〕に記入しなさい。

1．世界の市場としての期待が高まる中国は，富裕層と貧困層の格差は縮小し続けている。〔　　　〕
2．「一帯一路構想」は，中国からロシア，日本を結び，アメリカへ至る地域の陸路と海上のインフラ整備をおこなうものである。〔　　　〕
3．アパルトヘイト撤廃後の南アフリカの成長要因は，金・ダイヤモンド・レアメタルなどの輸出である。〔　　　〕

Check! 資料読解 **1 教科書p.281 6「BRICSの世界に占める割合」とp.277 1「地域経済統合」から読み取れる内容として最も適当なものを，次の①～④のうちから一つ選びなさい。**

① 人口はBRICSより四つの地域経済統合の合計のほうが多く，名目GDPの額はBRICSよりEUのほうが大きい。
② 人口はBRICSより四つの地域経済統合の合計のほうが多く，名目GDPの額はEUよりBRICSのほうが大きい。
③ 人口は四つの地域経済統合の合計よりBRICSのほうが多く，名目GDPの額はBRICSよりEUのほうが大きい。
④ 人口は四つの地域経済統合の合計よりBRICSのほうが多く，名目GDPの額はEUよりBRICSのほうが大きい。

[　　　]

2 教科書p.282 7「アメリカと中国の経済成長率・経常収支・ジニ係数の推移」から読み取れる内容として誤っているものを，次の①～④のうちから一つ選びなさい。

① 経済成長率はアメリカよりも中国のほうが高い。
② 中国は経済成長率でマイナスになったことはない。
③ 2000年以降アメリカより中国のほうが貧富の格差が大きい。
④ 中国の経常収支は常に赤字である。

[　　　]

5 ODAと経済協力

教科書　p.283~284

▶貧困の克服と国際協力

【途上国への援助】

・先進国による経済協力開発機構(〔①　　　　　〕)の開発援助委員会(〔②　　　　〕)の経済協力
→〔③　　　　　　　　　〕…対GNI比目標0.7%

【国連の取り組み】

2000年：ミレニアム開発目標(〔④　　　　　〕)の採択
…2015年までに達成すべき8項目

2015年：持続可能な開発目標(〔⑤　　　　　〕)の採択
…2030年までに達成すべき17項目

・あらゆる形の貧困の撲滅
・男女平等の達成
・持続可能な生産および消費パターンの確保　など

・国連開発計画(〔⑥　　　　　〕)はGNIにかわる開発指標として〔⑦　　　　　　　　〕を掲げる
↓
平均寿命，就学年数，一人あたりGNIをもとに算出される，各国の国民生活の豊かさを示す指標

▶ODA改革と日本

【日本のODAの特徴】

(1)ODA総額は世界有数
(2)有償の〔⑧　　　　　〕(貸し付け)の割合が高い
(3)無償資金協力・技術援助(〔⑨　　　　〕)の比率が低い
(4)対象国に地域的なかたよりがある
(5)援助が有効利用されていないケースがある　など

【ODA対象国への日本の要求】

・「ODA大綱」…民主化・市場経済化の推進などの諸条件を規定
→「〔⑩　　　　　　　　〕」に名称変更(2015年)…日本の国益の確保に貢献することを明記，ODAの積極的運用と戦略性強化

〉〉〉**ODA大綱**
1992年，政府はODAの供与について，①開発と環境の両立，②軍事目的への使用の回避，③軍事支出や武器輸出などへの注意，④民主化の促進，市場経済の導入などへの注意，という4原則を掲げた。

▶貧困削減への新たな動き

・〔⑪　　　　　　　　〕…1日2.15ドル未満で暮らす人々
→世界に約6.9億人(2018年)

※貧困削減には，〔⑫　　　　　　　　〕という観点も重要

【貧困削減に向けた支援】

・国家レベルの取り組みに加え，〔⑬　　　　　　　　〕や企業などの取り組みが重要

例

〔⑭　　　　　　　　　〕…発展途上国の原料や製品を適正価格で継続購入すること

〔⑮　　　　　　　　　〕…無担保で少額の融資をおこなう貧困者向けの金融サービス(例：バングラデシュのグラミン銀行)

〔⑯　　　　　　　　　〕…途上国の低所得層を対象とした持続可能なビジネス

〉〉〉〔⑯〕
新しい可能性として移民による送金も注目される。発展途上国への送金額6260億ドル(2022年)は，世界のODA総額の約3倍に相当し，対外直接投資に匹敵する金額にのぼっている。(→教p.284❷)

Work 貧困と飢餓に関する記述として適当でないものを，次の①～④のうちから一つ選べ。

① 1日の収入が1ドル(米ドル)未満という極度の貧困に苦しんでいる人々の半数以上は，南アジア地域やアフリカ地域に住んでいる。

② 飢餓の原因となる食料不足問題の背景として，異常気象の農業への影響や，人口の増加，経済格差などが指摘されている。

③ 国連世界食糧計画(WFP)のハンガーマップ(飢餓マップ)は，アフリカの国々の間では栄養不足人口の割合に大きな差がないことを示している。

④ 国際社会における不安定要因の一つであるテロを根絶するためには，貧困問題を解決するための国際協力を強化することも必要である。

(2011年センター試験現代社会本試)

〔　　〕

Check! 資料読解 教科書p.284❶「主要国のODAの実績推移と対GNI比」 日本のODAの課題についてまとめた次の文章の空欄に，当てはまる語句を下の〈語群〉から選びなさい。

2000年以降のODA実績の推移を見てみると，アメリカやドイツは〔ア　　　　　〕で推移しているが，日本は〔イ　　　　　〕で推移している。また，対GNI比でもドイツの約〔ウ　　　　　〕であり，国連目標の〔エ　　　　　〕%はもちろん，DAC平均も下回っている。

〈語群〉　2分の1　3分の1　横ばい　右肩上がり　0.7%　0.31%

TRY! 1 現在の南北問題について説明した次の文章のうち，最も適当なものを一つ選びなさい。

① 先進国による植民地の支配構造により，発展途上国はモノカルチャー経済から抜け出すことを強いられている。

② エネルギーの大部分を使用する先進国が発展途上国に環境保護規制を求めることに，経済開発を優先したい途上国側の反発がある。

③ 産油途上国や工業化に成功した国と，そうでないLDC間で，発展途上国どうしの経済格差が生じている。

④ 問題解決のためDAC加盟国はODAをおこなっているが，発展途上国は無償の贈与以外は受け取らないとして反発している。

〔　　〕

2 途上国の貧困削減の取り組みを進めるにはどうすればよいか，考えてみよう。

章末問題 第2編第6章 **国際経済の動向と課題** 教科書 p.258～289

Check ✓ 重要用語

1．国際経済のしくみ

❶イギリスの経済学者。19世紀初頭，比較生産費説を唱え，国際分業がそれぞれの国に利益をもたらすとし，自由貿易を主張した。 ❶

❷ドイツの経済学者。後発国の工業化と産業育成のためには，一定期間，関税や輸入数量の規制によって自国産業を保護する必要があると主張した。 ❷

❸一方が一次産品を，また他方が製造業品を輸出入しあうような貿易類型。 ❸

❹関税以外による輸入制限。 ❹

❺外国との特定期間の経済取引の結果を貨幣額であらわした統計。経常収支，資本移転等収支，金融収支，誤差脱漏からなる。 ❺

❻自国通貨と外国通貨との交換比率。 ❻

2．国際経済体制の変化

❼1944年，IMFとIBRDの設立が決められた協定。 ❼

❽1947年に調印。自由・無差別などを原則とし，自由貿易を推進させることを目的とした協定。 ❽

❾為替相場が，外国為替市場の需要供給の関係で決められる制度。 ❾

❿1971年，金ドル交換停止を宣言したアメリカの大統領。 ❿

⓫単一，または少数の一次産品の輸出に依存すること。 ⓫

⓬1964年，発展途上国の開発，貿易，援助を討議するために国連に設立された常設機関。 ⓬

⓭発展途上国のなかで，工業化の進んだNIEsや産油国と，絶対的貧困に悩む後発発展途上国との間の経済格差の問題。 ⓭

⓮1985年に開かれたG5で，ドル安に導くために各国の協調介入が決定された。 ⓮

⓯1995年，GATTをひきつぎ設立された機関。紛争処理能力が強化されサービスや農産物なども含む包括的な貿易の自由化をめざす。 ⓯

3．経済のグローバル化と金融危機

⓰ヒト・モノ・サービス・カネ・情報が地球規模で移動する傾向のこと。 ⓰

⓱ヘッジファンドの設置拠点となっている租税回避地。 ⓱

⓲低所得者層など信用力(返済能力)の低い人を対象とした住宅ローン。 ⓲

4．地域的経済統合の進展

⓳特定の国や地域間で，関税撤廃など貿易の自由化を進める協定。 ⓳

⓴1994年，アメリカ，カナダ，メキシコ間で締結された自由貿易協定。 ⓴

㉑EUにおいて1999年に導入された共通通貨。 ㉑

㉒ユーラシアの陸路と海上を経て欧州に至る地域のインフラ整備をおこなう新シルクロード構想。 ㉒

㉓21世紀の新興国，中国，インド，ロシア，ブラジル，南アフリカの総称。 ㉓

5．ODAと経済協力

㉔2015年に採択された，2030年までに達成すべき開発目標。 ㉔

㉕立場の弱い現地生産者や労働者の生活改善・自立を目的に，発展途上国の原料や製品を適正価格で購入すること。 ㉕

演習問題

1「プラットフォーマーによる市場支配」の問題について，次のア～エの指摘・主張はどのような考え方に基づいたものだろうか。それぞれについて，最も適当なものを，下の①，②のうちから一つずつ選びなさい(同じ番号を何回用いてもよい)。

ア　現実に巨大な企業があらわれることで，多くの中小の企業が市場から姿を消している。

イ　巨大IT企業のシェア拡大により，ビッグデータが蓄積され，私たちの生活の利便性向上に貢献している。

ウ　節税のために，現実の商品やサービスとは関係のないタックス・ヘイブンで企業の利益の計上がおこなわれている。

エ　グローバル化の進展とICTの発展の現状に相応した国際的な取引のルールを構築すべきだ。

①企業活動の自由を尊重すべきである。　②企業活動に対して規制をおこなうべきである。

ア	イ	ウ	エ

2次の図は，日本の累積援助額(1960年～2017年)の上位国のうち，インド，インドネシア，タイ，バングラデシュ，フィリピンの名目GNI(米ドル)，電力発電量，平均寿命，栄養不良の人口割合のデータを調べ，この5か国の平均値を2002年と2015年とで比較したものである。図中のア～ウはそれぞれ，電力発電量，平均寿命，栄養不良の人口割合のいずれかについて，2002年の5か国の平均値を100とする指数で表したものである。図中のア～ウに当てはまる項目の組合せとして正しいものを，下の①～⑥のうちから一つ選べ。

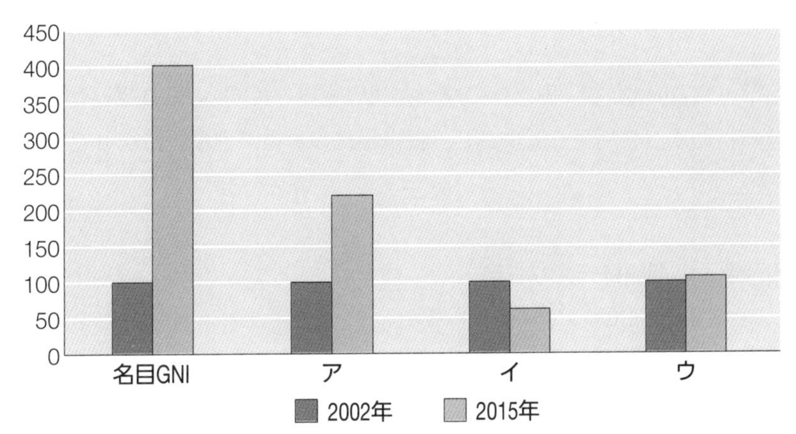

(注)2002年の栄養不良の人口割合の数値は2000年～2002年の平均値を使用。
(出所)総務省統計局『世界の統計』(2006，2018，2019年版)により作成。

	ア	イ	ウ
①	電力発電量	平均寿命	栄養不良の人口割合
②	電力発電量	栄養不良の人口割合	平均寿命
③	平均寿命	電力発電量	栄養不良の人口割合
④	平均寿命	栄養不良の人口割合	電力発電量
⑤	栄養不良の人口割合	電力発電量	平均寿命
⑥	栄養不良の人口割合	平均寿命	電力発電量

〈2021年大学入学共通テスト政治・経済第1日程を一部修正〉

3 次の会話は，生徒が日本のODAと経済協力のあり方について議論しているものである。会話文中のア・イに入るものを，下の①～⑥のうちから選びなさい。

ケン：世界の貧困問題の解決に向けて，日本は，そして私たちはどんなことができるのだろうか。

ミキ：重要な国際貢献として政府開発援助(ODA)があるよね。日本は世界有数の規模でODAを実施しているのだけど，SDGsの目標の一つである「あらゆる場所あらゆる形態の貧困を終わらせる」を実現するためにも，より一層のODAの充実が期待されているよ。そのためには(　ア　)ことが重要だと思うよ。

ケン：そうだね，実際に日本のODAもそのように変化してきたのだよね。さらに，SDGsの掲げる「誰一人取り残さない(leave no one behind)」という目標を実現するために，日本は，援助を通じた国際貢献についてどう考えていくべきなのかな。

ミキ：日本をはじめとする先進国が享受してきた経済的繁栄は，一方で途上国に負担を強いてきたことによって得たものであるという側面は忘れてはいけないと思うよ。地球環境問題で先進国の責任が重く問われているのも，同じ考え方から来ているわけだし，それだけの責任が私たちにはあると思うな。

ケン：そうか，私たちには，たとえば(　イ　)ということが求められているわけだね。

ミキ：そのとおりだと思う。そうすることによって，私たちみんなが「持続可能な発展」をしていくということになると思うよ。

① 援助を一定の国や地域に集中させ，援助が本来の目的に使われるように，明確な条件を付けておこなう。
② 経済発展が遅れた国や地域が自立して，他国からの援助なしで済むように資金の貸し付けをおこなう。
③ 円借款よりも無償資金協力や技術援助など贈与の割合を高めていく。
④ 日本の経済発展や安全保障の観点から，友好的なパートナーシップを築けるような援助・外交を展開する。
⑤ 人間の安全保障の観点に立ち，国だけでなく非政府組織(NGO)の取り組みも充実させる。
⑥ GDPに対する援助総額の割合を減少させ，将来世代の負担が少ない持続可能な援助を実現する。

ア ［　　］　イ ［　　］

4 次の文章を読み，以下の問いに答えなさい。

先生：ミキさん，ケン君，SDGsって知っているかい？

ミキ：国連が2000年に，途上国が2015年までに達成すべき8項目の(　①　)目標(MDGs)を採択したことは知っています。

ケン：似ているけど違うよ。国連は2015年に2030年までに達成すべき17項目の(　②　)目標(SDGs)を採択したんだ。これらの目標を解決しなければ世界の状況はますます悪化して人間の生活をさらに危険にさらしてしまい，みんなが幸せに暮らせる世界からは離れていってしまう。この状況を大胆に変革し，安心安全で平和な世界に近づくための目標がSDGsなんですよね。

先生：ケン君，詳しいね。教科書p.286にSDGsの17の目標があるね。では，具体的にいくつかの課題を見てゆこう。まず，(a)森林の減少ではどのような問題が生じているのか見てみよう。ミキさんはどう思う。

ミキ：こんなに毎年森林がなくなっていくとそこに住む動物たちも済むところがなくなりますね。(b)絶滅が危惧される世界の野生生物種「レッドリスト」は，41,000をこえ，しかも増えているんですって。

ケン：この前テレビで，大量のプラスチックごみが胃にたまって死んでしまったクジラのことが報道されていました。(c)プラスチックごみの増加も心配です。

問1　文中の空欄（　①　）（　②　）に適する語句を，以下のア～エより選び，記号で答えなさい。

ア．経済優先の開発　　イ．持続可能な開発　　ウ．ミレニアム開発　　エ．環境重視の開発

問2　下線部(a)について，教科書p.287❶「世界の森林分布と森林面積の主な減少国」を見て以下の問いに答えなさい。

(1)森林消失が一番多いブラジルでは，毎年北海道の面積の約何倍の森林が消失しているだろうか。一番近いものを次の選択肢から選びなさい。（北海道の面積＝約83.5万ha）

ア　約0.2倍　　イ　約0.6倍　　ウ　約1.8倍　　エ　約6.0倍

(2)森林消失が多い5位までの国では，毎年北海道の面積の約何倍の森林が消失しているだろうか。一番近いものを次の選択肢から選びなさい。（北海道の面積＝約83.5万ha）

ア　約2倍　　イ　約5倍　　ウ　約7倍　　エ　約9倍

(3)森林消失国ワースト５の地域の特徴として適切なものを，次の選択肢からすべて選び記号で答えなさい。

ア　開発を進める先進国に集中している。

イ　北部の針葉樹林帯にも広がっている。

ウ　多くが赤道付近の熱帯雨林地域に広がっている。

エ　多くが一人あたりGNIの低い低所得国である。

(4)森林減少の問題は，SDGsのどの目標と関連しているだろう。最も関連の強いものを教科書p.286の1～17から選び，数字で答えなさい。

(5)火災以外の森林破壊の理由を教科書p.270～271を参考にして答えなさい。

問3　下線部(b)の問題について，国や企業，私たちがなすべきことは何か，自分の考えを書いてみよう。

問4　下線部(c)の問題ついて，教科書p.287❷「プラスチックごみの発生量と処分量の推移」を見て，グラフから読み取れるものとして誤っているものをすべて選び，記号で答えなさい。

ア　1980年代なかばまで，プラスチックごみのほとんどが埋め立てや自然投棄されていた。

イ　プラスチックごみの埋め立てや自然放棄は2015年には3億トンをこえている。

ウ　プラスチックごみのリサイクル率は，1980年代以降ほぼ増加傾向にある。

エ　プラスチックごみの発生量は，1980年からの30年間で，10倍以上に増加している。

問5　海洋プラスチックの増加の問題は，SDGsのどの目標と関連しているだろうか。最も関連の強いものを教科書p.286の1～17から選び，数字で答えなさい。

問6　下線部(c)の問題ついて，プラスチックごみを削減するためにあなたにできることは何か。

問1	①	②	問2	(1)	(2)	(3)	(4)
(5)							
問3							
問4		問5					
問6							

「公共」の授業で，ケンとミキは，「SDGs（持続可能な開発目標）」から課題を選び，グループで探究学習をおこなうことになった。以下の問いに答えなさい。

1 ミキのグループは，SDGsの目標13「気候変動に具体的な対策を」を探究学習のテーマに選び，次の資料1～4を参考にして，気候変動に関する国内外の問題について考えた。

資料1　世界の平均気温の推移

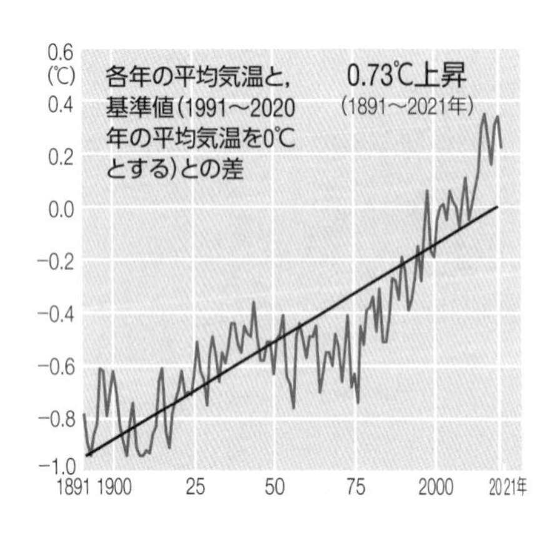

資料2　世界の二酸化炭素排出量の推移

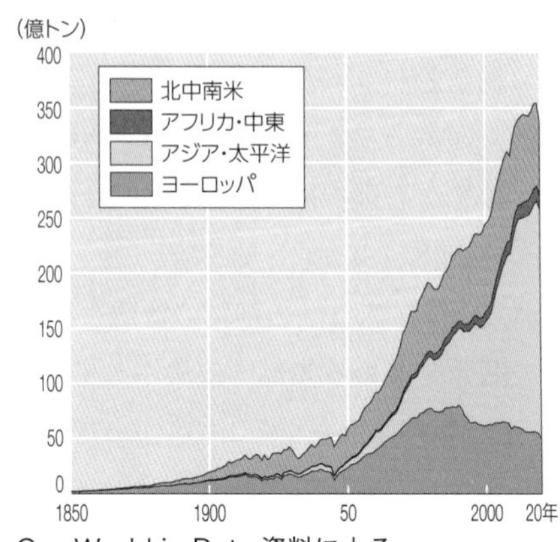

Our World in Data 資料による

資料3　森林による二酸化炭素吸収機能

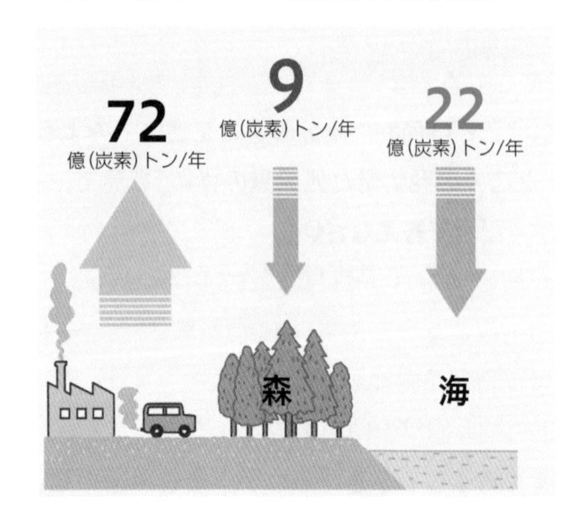

資料4　世界の森林面積の推移

年	森林面積（万 ha）	期間	年間減少面積（万 ha）
1990	423,643		
2000	415,805	1990-2000	-784
2010	410,632	2000-2010	-517
2020	405,893	2010-2020	-474

問　資料1～4から読み取れる内容として適当なものを，次の①～④のうちから一つ選びなさい。

① 世界の平均気温は，1891年から2021年までの間に，1℃以上上昇している。
② 2020年の世界の二酸化炭素排出量の半分以上を，アジア・太平洋地域が占めている。
③ 森や海による二酸化炭素吸収量は，二酸化炭素排出量全体の半分をこえている。
④ 1990～2000年と比べて，2000～2010年の世界の森林面積の年間減少面積は，増加傾向にある。

2 ケンのグループは，SDGsの目標1「貧困をなくそう」を探究学習の課題に選び，目標4「質の高い教育をみんなに」や目標5「ジェンダー平等を実現しよう」と関連させて，子どもの教育機会の確保について考えることにした。まず，次の資料1～4を収集し，世界の貧困の現状について考えた。

資料1　世界の貧困状況（1日2.15ドル未満で生活する人々）

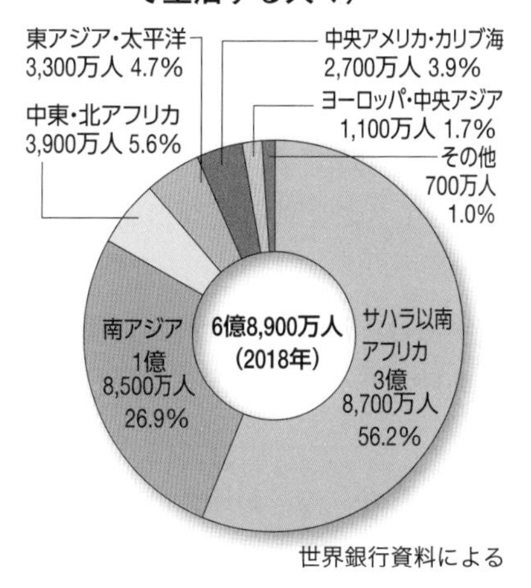

世界銀行資料による

資料2　学校に通えない子どもの割合

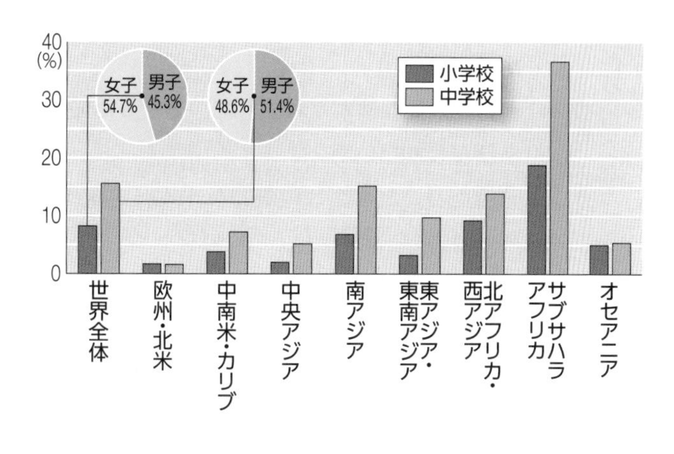

資料3　一人あたりGNI

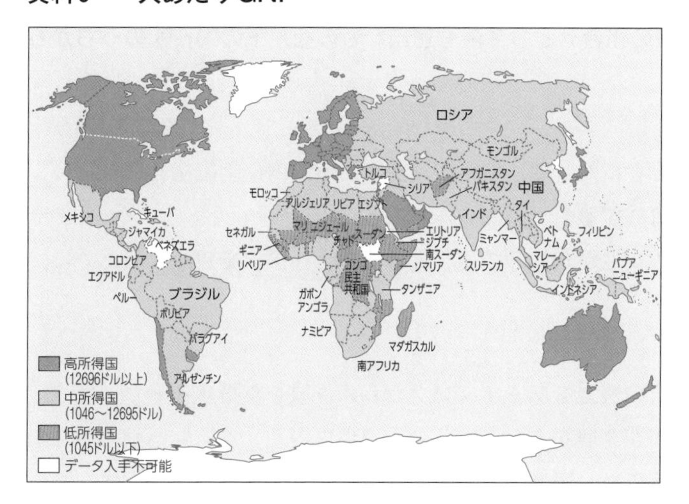

資料4　初等教育を受けられない子どもの割合が多い国10か国

2018年	不就学率
南スーダン*	62.4%
エリトリア	47.3%
マリ	41.0%
スーダン***	38.3%
ジブチ	37.9%
ニジェール***	33.5%
チャド**	26.5%
パキスタン	24.7%
タンザニア***	23.5%
ギニア**	21.9%

*2015年 **2016年 ***2017年

問1　資料1～4から読み取れる内容として適当なものを，次の①～④のうちから一つ選びなさい。

① 北アフリカ・西アジアは，小学校と中学校に通えない子どもの割合が，世界全体を下回っている。

② 世界全体で中学校に通えない子どもの，男子と女子の割合の差は3%に満たない。

③ 1日2.15ドル未満で生活する人々は，サハラ以南アフリカと南アジアで9割をこえる。

④ 初等教育を受けられない子どもの割合が多い上位10か国は，すべてアフリカにある。

問2　次の会話は，ケン，リサ，カズが，SDGsの目標4・目標5を達成するために必要な教育に関する政策について議論しているものである。以下の問いに答えなさい。

ケン：世界の貧困の原因となっているものは何だろう。

リサ：世界の子どもの10人に1人にあたる，約1億6000万人の子どもが，労働に従事していると言われているよ。

カズ：世界の紛争地域では，少年兵となっている子どもさえいるんだ。貧困は，質の高い教育をみんなが受けることを困難にさせてしまうね。

ケン：そうだね。いまは少しずつ改善されているけれど，女性を子どものときに結婚させる風習がある国や地域もあって，教育を受けられない女性もいまだに多いんだ。

リサ：日本は途上国に対して，政府開発援助（ODA）をおこなっているけれど，地球上の「誰一人取り残さない」というSDGsの理念に照らして，この問題について日本ができることは，［ a ］かな。

カズ：それは大切な援助だね。ただ，そうした先進国による金銭面での援助だけではかわらない面もあるんじゃないかな。

ケン：そうだね，たとえば国際的な非政府組織（NGO）を通じて，［ b ］ことも必要な援助になるだろうね。

カズ：あとは，貧困の定義についても確認しておかないとね。貧困には，最低限の食糧と食糧以外のものが購入できる所得に達していない絶対的貧困と，ある地域社会の大多数よりも貧しい状態となっている相対的貧困という二つの考え方があるんだ。

リサ：相対的貧困の考え方からすると，日本をはじめとした先進国のなかにも，貧困の問題は存在しているということになるね。

(1) 会話文中の［ a ］・［ b ］に入る政策の組合せとして最も適当なものを，下の①～⑨のうちから一つ選びなさい。

［ a ］に入るもの

ア　働く場所が少ない途上国の女性労働者に対して，雇用の機会を日本国内に創出すること

イ　政財界で活躍する女性エリートを育成する教育機関を作ること

ウ　女性用のトイレを備えた学校など，女性が安心して通うことができる学校を建設するために，途上国に経済的支援をおこなうこと

［ b ］に入るもの

エ　努力を続けている女性に限り，教育の機会を増やすプログラムの作成を支援する

オ　女性が教育を受けることで国内経済が発展するなど，その重要性を説明する啓発活動をおこなう

カ　いままで主に女性が従事してきた家事を，男性のみでおこなうように，意識改革を促す

① a―ア　b―エ　② a―ア　b―オ　③ a―ア　b―カ

④ a―イ　b―エ　⑤ a―イ　b―オ　⑥ a―イ　b―カ

⑦ a―ウ　b―エ　⑧ a―ウ　b―オ　⑨ a―ウ　b―カ

［　　］

(2) リサは，相対的貧困という考え方に興味をもち，日本の相対的貧困率の増加に対する改善策を考えた。次のア・イの改善策における選択・判断はどのような根拠に基づいたものだろうか。それぞれについて，最も適当なものを，下の①～④のうちから一つずつ選びなさい。

ア　貧困世帯に給付金を配るだけでは改善されないため，教育の機会を増やすことなどを通じて，人々のさまざまな選択肢の幅を広げるための施策をおこなう。

イ　政府による貧困世帯への支援は，貧困世帯の自助努力を損なうことになるため，強引な解決はできるだけ避けて，個人の裁量に任せる施策をおこなう。

①　ロールズの考えのように，恵まれない人々の境遇を改善することが正義である。

②　ノージックの考えのように，個人の自由を最大限に尊重することが正義である。

③　サンデルの考えのように，社会に位置づけられた個人が共通善を実現することが正義である。

④　センの考えのように，人々の機能の豊かさである潜在能力が平等であることが正義である。

ア［　　］　イ［　　］

(3) **カズは，日本と各国のODA(政府開発援助)について，次の 資料5を見つけた。ケン，リサ，カズが，資料5の分析を踏まえておこなった会話文中の［c］・［d］に入る政策の組合せとして最も適当なものを，下の①～⑨のうちから一つ選びなさい。**

資料5　主要国の二国間政府開発援助の分野別配分(2019年)

分野＼国名	日本	米国	英国	フランス	ドイツ	イタリア	カナダ	平均
社会インフラ(教育，保健，上下水道等)	13.7	41.5	39.7	38.2	35.8	33.0	45.7	36.5
経済インフラ(輸送，通信，電力等)	52.1	4.9	5.2	22.8	18.8	9.1	3.1	16.9
農林水産分野(農業，林業，漁業等)	4.4	3.1	4.0	3.9	5.8	4.2	6.1	4.5
工業等その他生産分野(鉱業，環境等)	19.2	3.4	14.8	15.6	12.4	12.1	10.0	11.6
緊急援助(人道支援等)，食糧援助	3.6	31.3	24.7	1.6	9.1	7.3	17.3	14.9
プログラム援助等(債務救済，行政経費等)	6.9	15.8	11.6	17.8	18.1	34.4	17.8	15.6

出典：DAC統計(DAC Statistics on OECD.STAT)
(注)・四捨五入の関係上，各分野の合計が100%とならないことがある。
・卒業国向け援助を除く。

カズ：各国のODA(政府開発援助)の内訳にはどのような特徴があるのかな。

ケン：日本はドイツや［c］同様，他の主要国の平均よりも経済インフラ(輸送，通信，電力等)がメインだね。

リサ：資料を見ると，主要国全体としては，社会インフラ(教育，保健，上下水道等)に多くのお金を割いているようだけれど。

カズ：日本が経済インフラを重視する背景には，［d］という考え方があるんじゃないかな。

ケン：日本の厳しく限られた財政事情のなかで援助をするわけだから，ある分野に特化して国際協力をおこなうことも必要だと言えるんじゃないかな。

［c］に入るもの

ア　英国

イ　イタリア

ウ　フランス

［d］に入るもの

エ　持続的な経済成長を支える環境を整備し，当該国の自助努力や主体性を重視して援助をおこなう

オ　政治的経済的に日本の国益に資すると考えられる当該国に対してのみ，積極的な援助をおこなう

カ　貧困を削減するための教育・保健医療・福祉，水と衛生，そして農業分野の援助をおこなう

① c―ア　d―エ　② c―ア　d―オ　③ c―ア　d―カ

④ c―イ　d―エ　⑤ c―イ　d―オ　⑥ c―イ　d―カ

⑦ c―ウ　d―エ　⑧ c―ウ　d―オ　⑨ c―ウ　d―カ

［　　］

「詳述公共」の学習を振り返ってみよう

第１編　公共の扉（教科書 p. 6~72）

●自分の生き方，あり方を，これからどのようにしていきたいか，記述しよう。

第２編　よりよい社会の形成に参加する私たち

第１章　日本国憲法の基本的性格（教科書 p.74 ～ 107）

●日本国憲法の理念を守っていくために，私たちにどんな態度が求められているか考えよう。

第２章　日本の政治機構と政治参加（教科書 p.108 ～ 145）

●選挙のときに有権者として正しい判断をするには，どんなことが重要か考えよう。

第３章　現代の経済社会（教科書 p.146 ～ 183）

●経済社会をよりよくしていくために，経済主体はどのような役割を果たせばよいか，提案しよう。

第４章　経済活動のあり方と国民福祉（教科書 p.184 ～ 229）

●日本経済が抱える課題を解決するために，私たちにできることを提案しよう。

第５章　国際政治の動向と課題（教科書 p.230 ～ 257）

●世界平和に対する自分の考えはどのように変化したか，記述しよう。

第６章　国際経済の動向と課題（教科書 p.258 ～ 289）

●世界経済に対する自分の考えはどのように変化したか，記述しよう。